o Poder da inovação

Como alavancar a inovação na sua empresa

www.**saraivauni**.com.br

Luiz Serafim

O Poder da inovação

Como alavancar a inovação na sua empresa

Colaboração especial

Layza Portes
Paula Franceschini
Marcos Sgarbi

Editora Saraiva

Editora Saraiva

Rua Henrique Schaumann, 270
Pinheiros – São Paulo – SP – CEP: 05413-010
Fone PABX: (11) 3613-3000 • Fax: (11) 3611-3308
Televendas: (11) 3613-3344 • Fax vendas: (11) 3268-3268
Site: http://www.saraivauni.com.br

Filiais

AMAZONAS/RONDÔNIA/RORAIMA/ACRE
Rua Costa Azevedo, 56 – Centro
Fone/Fax: (92) 3633-4227 / 3633-4782 – Manaus

BAHIA/SERGIPE
Rua Agripino Dórea, 23 – Brotas
Fone: (71) 3381-5854 / 3381-5895 / 3381-0959 – Salvador

BAURU/SÃO PAULO (sala dos professores)
Rua Monsenhor Claro, 2-55/2-57 – Centro
Fone: (14) 3234-5643 – 3234-7401 – Bauru

CAMPINAS/SÃO PAULO (sala dos professores)
Rua Camargo Pimentel, 660 – Jd. Guanabara
Fone: (19) 3243-8004 / 3243-8259 – Campinas

CEARÁ/PIAUÍ/MARANHÃO
Av. Filomeno Gomes, 670 – Jacarecanga
Fone: (85) 3238-2323 / 3238-1331 – Fortaleza

DISTRITO FEDERAL
SIA/SUL Trecho 2, Lote 850 – Setor de Indústria e Abastecimento
Fone: (61) 3344-2920 / 3344-2951 / 3344-1709 – Brasília

GOIÁS/TOCANTINS
Av. Independência, 5330 – Setor Aeroporto
Fone: (62) 3225-2882 / 3212-2806 / 3224-3016 – Goiânia

MATO GROSSO DO SUL/MATO GROSSO
Rua 14 de Julho, 3148 – Centro
Fone: (67) 3382-3682 / 3382-0112 – Campo Grande

MINAS GERAIS
Rua Além Paraíba, 449 – Lagoinha
Fone: (31) 3429-8300 – Belo Horizonte

PARÁ/AMAPÁ
Travessa Apinagés, 186 – Batista Campos
Fone: (91) 3222-9034 / 3224-9038 / 3241-0499 – Belém

PARANÁ/SANTA CATARINA
Rua Conselheiro Laurindo, 2895 – Prado Velho
Fone: (41) 3332-4894 – Curitiba

PERNAMBUCO/ ALAGOAS/ PARAÍBA/ R. G. DO NORTE
Rua Corredor do Bispo, 185 – Boa Vista
Fone: (81) 3421-4246 / 3421-4510 – Recife

RIBEIRÃO PRETO/SÃO PAULO
Av. Francisco Junqueira, 1255 – Centro
Fone: (16) 3610-5843 / 3610-8284 – Ribeirão Preto

RIO DE JANEIRO/ESPÍRITO SANTO
Rua Visconde de Santa Isabel, 113 a 119 – Vila Isabel
Fone: (21) 2577-9494 / 2577-8867 / 2577-9565 – Rio de Janeiro

RIO GRANDE DO SUL
Av. A. J. Renner, 231 – Farrapos
Fone: (51) 3371- 4001 / 3371-1467 / 3371-1567 – Porto Alegre

SÃO JOSÉ DO RIO PRETO/SÃO PAULO (sala dos professores)
Av. Brig. Faria Lima, 6363 – Rio Preto Shopping Center – V. São José
Fone: (17) 3227-3819 / 3227-0982 / 3227-5249 – São José do Rio Preto

SÃO JOSÉ DOS CAMPOS/SÃO PAULO (sala dos professores)
Rua Santa Luzia, 106 – Jd. Santa Madalena
Fone: (12) 3921-0732 – São José dos Campos

SÃO PAULO
Av. Antártica, 92 – Barra Funda
Fone PABX: (11) 3613-3666 – São Paulo

303.035.001.001

ISBN 978-85-02-14799-7

**CIP-BRASIL. CATALOGAÇÃO NA FONTE
SINDICATO NACIONAL DOS EDITORES DE LIVROS, RJ.**

S487p

Serafim, Luiz
O poder da inovação : como alavancar a inovação na sua empresa / Luiz Serafim. - São Paulo : Saraiva, 2011.

ISBN 978-85-02-14799-7

1. 3M Company. 2. Cultura organizacional. 3. Eficiência organizacional. 4. Desenvolvimento organizacional. 5. Planejamento estratégico. I. Título.

11-6504.   CDD: 658.4063
            CDU: 005.94

28.09.11   07.10.11   030239

Copyright © Luiz Serafim
2011 Editora Saraiva
Todos os direitos reservados.

Direção editorial	Flávia Alves Bravin
Coordenação editorial	Alessandra Marítimo Borges
	Ana Paula Matos
	Gisele Folha Mós
	Juliana Rodrigues de Queiroz
	Rita de Cássia da Silva
Produção editorial	Daniela Nogueira Secondo
	Rosana Peroni Fazolari
Marketing editorial	Nathalia Setrini
Arte e produção	INSTANT PRESS
Capa	Weber Amendola
Produção gráfica	Liliane Cristina Gomes
Impressão e Acabamento	RR Donnelley

Contato com o editorial
editorialuniversitario@editorasaraiva.com.br

Nenhuma parte desta publicação poderá ser reproduzida por qualquer meio ou forma sem a prévia autorização da Editora Saraiva.
A violação dos direitos autorais é crime estabelecido na lei nº 9.610/98 e punido pelo artigo 184 do Código Penal.

Prefácio

Em muitas ocasiões, George Buckley, CEO da 3M, compartilha que "a 3M é uma companhia que você nunca acreditaria que existe – a não ser que ela estivesse bem na sua frente". Quando você analisa a amplitude, a diversidade e a história da 3M, é muito fácil compreender a validade desse ponto de vista, pois são:

- 110 anos de negócios;
- 46 plataformas tecnológicas, servindo a seis segmentos (Consumo, Saúde, Indústria, Display, Eletrônicos, Segurança);
- vendas internacionais em 200 países e 67 subsidiárias que concentram aproximadamente 70% das vendas globais;
- 79 mil empregados, sendo que 65% deles trabalham fora dos Estados Unidos;
- 30% das vendas de 2010 vieram de produtos que não existiam antes (e o objetivo para o curto prazo é alcançar 40%);
- 55 mil itens comercializados globalmente por uma estrutura de 40 unidades de negócio.

Trabalhando na 3M por quase duas décadas em muitas posições e países, tive a felicidade de observar o "Modelo 3M" sob diversas perspectivas por um longo período. Na minha percepção, o sucesso da 3M por mais de um século – em muitos mercados e continentes – vem de sua cultura peculiar, que é a essência da companhia e que se sustenta fortemente por meio das várias gerações de colaboradores.

A cultura 3M é definida por muitos fatores – conduta ética (confiança), desenvolvimento do funcionário (família), disciplina operacional (equilíbrio entre curto e longo prazos) – mas, fundamentalmente, pela cultura de criação e inovação (rejuvenescimento).

Não creio que exista algo mágico ou especialmente único na Cultura de Inovação 3M. De fato, hoje, vemos muitas empresas focadas em inovação, mas há uma diferença significativa entre "inovação como estratégia" e "inovação como cultura" – e é essa distinção relevante que separa a 3M da maioria das empresas.

Atualmente, criar ou fomentar uma cultura de inovação é uma questão amplamente discutida em países emergentes como o Brasil. De diversas formas, essas nações pensam em acelerar a força e a competitividade de suas indústrias locais em um mundo cada vez menor e mais interconectado.

Como Charles Darwin observou em meados do século XIX, não é o mais forte da espécie que sobrevive, nem o mais inteligente; é o que melhor se adapta à mudança. Embora Darwin estivesse falando de organismos vivos, suas observações fazem sentido para os negócios. Basicamente, a cultura em um negócio é como um organismo vivo, ou seja, é feita de pessoas e processos, dotada de um propósito, que cresce, evolui e, em muitos casos, morre.

Então, como uma empresa pode criar uma cultura de inovação?

Primeiro, deve-se observar que uma cultura de inovação não acontece por acaso. Ela é criada e dirigida por um sistema de princípios e práticas que sustenta e encoraja a combinação de criatividade e tecnologia para satisfazer as necessidades dos clientes – mesmo que isso signifique conviver com fracassos em muitas situações. Como afirma Thomas Edison sobre as diversas tentativas durante o experimento da lâmpada: "Eu não falhei. Eu descobri 10 mil formas que não funcionam".

Para a 3M, a companhia identificou sete elementos que são fundamentais para o sucesso e a natureza duradoura de nossa cultura de inovação:

• Inovação é a essência da visão estratégica

Inovação na 3M é mais do que uma estratégia. Inovação é um modelo de negócios. Nas organizações, todo líder e gestor deve compreender a importância da inovação de produtos e processos para seu sucesso a longo prazo. Pense se na sua empresa a mensagem da inovação é comunicada de forma clara, consistente e implacável.

- **Inovação é visivelmente a peça central do ambiente da empresa**
Na 3M, há um grande investimento em inovação, especialmente suportando o trabalho de nossa comunidade técnica. Como muitos sabem, nossos pesquisadores podem usar 15% de seu tempo para desenvolver seus próprios projetos científicos. E, na sua organização, os times de Pesquisa & Desenvolvimento sentem que estão rompendo fronteiras? Eles têm liberdade de perseguir áreas de interesse individual?

- **Acesso a múltiplas tecnologias**
Enquanto cada unidade de negócios da 3M atua de forma mais independente em segmentos de mercado específicos, elas se conectam com os Centros Tecnológicos Corporativos e os utilizam para criar produtos e materiais customizados aos seus clientes. Tipicamente, os produtos da 3M são produzidos pela combinação de três ou mais plataformas tecnológicas.

- **Criação de uma rede de inovação dentro da organização**
O Fórum Técnico da 3M, comunidade fundada há 60 anos, tem a missão de estimular a criatividade e o espírito de inovação ao expandir significativamente a interação interpessoal entre os grupos técnicos. Hoje, essa comunidade global tem mais de 10 mil membros que participam de eventos de intercâmbio, sessões de treinamento, programas de reconhecimento e ainda podem integrar os cerca de 30 Grupos de Interesse em centros de tecnologias específicas.

- **Um plano de desenvolvimento bem definido para a comunidade técnica**
Como qualquer outro grupo em negócios, a organização técnica almeja a celebração e o reconhecimento por seus esforços e resultados. A 3M utiliza uma abordagem de "dual ladder" para desenvolver seu pessoal técnico com critérios específicos a fim de que eles cheguem a posições seniores de liderança técnica na carreira. No mais alto grau, cientistas da 3M são reconhecidos em seu campo de conhecimento por seus líderes-pares na organização, e também externamente, sendo responsáveis por direcionar o rumo da pesquisa nas diversas plataformas tecnológicas da companhia.

• Métricas e responsabilidades claras

Inovação não é apenas criatividade e novas ideias. Inovação requer competência e disciplina para comercializar efetivamente aquelas boas ideias e produtos de maneira rentável. Na 3M, há um processo definido para a Introdução de Novos Produtos (NPI – New Product Introduction), que leva o projeto por cinco etapas até o lançamento. Existe ainda uma métrica estratégica de alta visibilidade – o Índice de Vitalidade de Novos Produtos (NPVI – New Product Vitality Index), que mede a porcentagem das vendas originadas de produtos introduzidos nos últimos cinco anos. No caso da 3M, o objetivo estratégico é elevar o resultado desse índice para 40% nos próximos quatro anos.

• Conexão com o cliente

Certamente, este é um dos pontos mais importantes do sistema, pois inovação pela inovação não é objetivo de nenhuma companhia. Nossa meta é criar produtos que fascinem o cliente e, para fazer isso, é necessário manter uma proximidade muito grande com ele, investindo em intensos trabalhos de campo, pesquisas de mercado e avaliação das tendências. Os dias de solidão dos pesquisadores, trabalhando isoladamente em seus laboratórios, já passaram. Atualmente, a interação é tipicamente de mão dupla – pesquisadores, vendedores, profissionais de marketing vão para o campo enquanto os clientes vêm para os laboratórios, Centros Técnicos ou ainda se expressam nas diversas plataformas de relacionamento com a empresa, entre elas, a internet. Muitos dos melhores projetos nascem de clientes que, em contato com tecnologias e aplicações diferentes, reconhecem uma solução potencial para resolver seus problemas.

Nada do que descrevi anteriormente aconteceu em poucos anos. O atual estado da Cultura de Inovação 3M é resultado de décadas de evolução, mas seus princípios permanecem os mesmos e são passíveis de ser adotados por qualquer organização, em qualquer mercado.

Em resumo, para criar uma cultura de inovação em uma empresa, deve-se aceitá-la como centro do negócio, persistir e dedicar-se em construí-la por muitos anos, ciente de que, no final, a inovação não diz respeito a produtos e processos, mas, sim, e acima de tudo, a pessoas, que usam sua imaginação e se comprometem-se com um ideal.

Este livro discorre em detalhes sobre esses princípios da inovação por meio de exemplos oportunos da 3M e também de outras organizações no processo de construção dessa cultura e disciplina. Ler esta obra contribuirá para que mais empresas, no Brasil e no mundo, se inspirem a incorporar a inovação como cultura de negócio, com a mesma paixão e determinação que fazemos há mais de um século.

Michael Vale, vice-presidente executivo de negócios globais de consumo da 3M e presidente da 3M do Brasil (2009 – 2011)

Apresentação

Na última década, a inovação se tornou um dos assuntos mais discutidos no universo corporativo.

É surpreendente a grande quantidade de livros, artigos, teses, websites, palestras, cursos de especialização e conferências disponibilizados hoje aos executivos interessados em compreender os princípios, valores e processos capazes de transformar suas empresas em organizações inovadoras.

Então, por que escrever mais um livro sobre o tema?

Primeiro, vale dizer que esta obra é consequência natural do trabalho que a 3M do Brasil vem realizando nos últimos anos para disseminar conhecimento sobre inovação no país.

Por conta da reputação que a 3M construiu mundialmente com o tema e de sua referência recorrente, há muito tempo recebemos convites semanais para, em eventos, encontros e congressos, compartilharmos nossa experiência com inovação.

No passado, os profissionais da 3M atendiam individualmente esses pedidos, que chegavam a diferentes departamentos, à diretoria de Recursos Humanos, aos vários gerentes técnicos e aos representantes institucionais, que, com o melhor espírito de colaboração, sempre que possível os incluíam na agenda de compromissos.

Embora todas as pessoas produzissem conteúdo semelhante, elas não estavam formalmente sintonizadas nem partilhavam um material comum, tampouco registravam essas interações.

Quando passei a liderar a área de marketing corporativo em 2008, transformei essas iniciativas em um programa estruturado. Convidamos todos os funcionários que mostravam interesse ou já atuavam eventualmente como palestrantes, e organizamos uma equipe de *speakers* oficiais, designados Embaixadores da Inovação 3M.

Juntos, desenvolvemos uma apresentação mais consistente e moderna, alinhando as várias experiências e histórias que acumulamos com a teoria da gestão da inovação. Afinal, para o público, mais relevante do que conhecer cada detalhe da 3M, é descobrir os fatores universais da inovação, que certamente são assimilados mais facilmente no formato de *storytelling*, com destaque para nossos cases ilustrativos e práticas consolidadas da empresa.

Com esse programa de palestras de inovação, eu ousaria dizer que a 3M é a empresa privada que mais ativamente trabalha para disseminar os conceitos de inovação no Brasil. Para ilustrar, desde seu início formal, na metade de 2008 até meados de 2011, o programa levou esse conteúdo para treze mil pessoas em todo o país. Em 2010, participamos de pelo menos setenta eventos, nos quais estiveram presentes mais de quatro mil pessoas. Apresentamos nossa mensagem nos mais variados fóruns. Atendemos a centenas de convites de organizações como Fiat, Volkswagen, Johnson & Johnson, Banco do Brasil, Itaú, Bradesco, Leroy Merlin, Grupo Abril, Organizações Globo, Natura, Deca, Previ, Vale, Grupo M. Dias Branco, Ambev, Danone, Solvay, Elektro e muitas outras. Estivemos presentes em eventos de centenas de instituições de ensino como USP, Ufscar, Unicamp, ESPM, FEI, FIA, FGV, Mackenzie, Unesp, Unip, Business School SP, Insper, Fatec, entre outras. Participamos de encontros promovidos por dezenas de entidades como CNI, AmCham, Sebrae, Finep, HSM, câmaras de comércio, federações regionais de indústrias e sindicatos.

Em nosso Centro Técnico, em Sumaré, no interior do Estado de São Paulo, recebemos anualmente centenas de clientes para atividades de treinamento, visitas de *benchmark* e tours guiados pelo nosso grande showroom de inovações.

Em paralelo, lançamos o website www.3minovacao.com.br, atualizado para um formato de blog em outubro de 2010, que oferece um conteúdo amplo e pertinente sobre inovação corporativa, evidenciando práticas e exemplos de diversas organizações inovadoras do mundo todo. Além disso, disponibilizamos a milhares de internautas mais informações sobre a gestão 3M e os arquivos de nossas palestras.

Portanto, o livro *"O poder da inovação"* promovido pela 3M faz sentido, pois está sintonizado com as iniciativas da companhia em promover o conhecimento do tema, sendo mais uma ferramenta para o engajamento e correto entendimento por parte dos empresários e executivos sobre as dinâmicas do sistema de inovação e as oportunidades de crescimento dos negócios proporcionadas por essa estratégia.

Em segundo lugar, ainda que existam ótimas obras desenvolvidas por autores competentes, percebemos algumas lacunas que nosso livro pretende preencher. Muitos textos, que visam se posicionar como guia geral para os interessados em inovação, têm linguagem e foco muito dirigidos aos principais executivos da companhia. Seus conceitos e recomendações estariam mais ao alcance de CEOs e altos dirigentes. Já nosso texto deseja traçar um quadro amplo, de certa forma didático, que seja um instrumento para a alta gerência transformar a organização, mas que também estimule oportunidades de ação na esfera de liderança de qualquer profissional, em sua área de atuação.

Sob a perspectiva acadêmica, outros livros trazem conteúdo relevante e complementar, porém eventualmente expõem muitas teorias que costumam ser complexas para aplicação dos executivos.

É sabido que muitas dessas teorias são construídas pela observação das boas práticas e processos enraizados em companhias pioneiras. A 3M certamente foi uma das principais empresas que ajudaram a fundamentar conteúdos teóricos do chamado sistema de inovação ao longo do tempo. Do exemplo 3M, nasceram ou se consolidaram conceitos teóricos essenciais, como a cultura de tolerância ao erro, as métricas de inovação (começando com o objetivo de uma porcentagem do faturamento derivada de novos produtos), o ambiente de colaboração, os mecanismos de gestão do conhecimento e o tempo dedicado à inovação (a regra dos 15% do tempo da comunidade técnica 3M para projetos informais).

Nesse sentido, nossa intenção foi respeitar esse conhecimento que sistematiza a teoria da gestão da inovação, referenciando-a e reverenciando-a inúmeras vezes. Porém, nossa prioridade foi ajudar os executivos a absorver e aplicar os conhecimentos da gestão de inovação à prática dos negócios. Afinal, ainda que muitos de nós na 3M do Brasil tenhamos formação teórica em inovação e atuemos como professores da disciplina em diversas instituições, somos eminentemente executivos, que lidam diariamente com os desafios da competição em nossa empresa. Em outras palavras, nossa abordagem é principalmente prática, inspirada pela longa experiência profissional em uma organização inovadora, com valioso aprendizado de acertos e erros, pontos fortes e vulnerabilidades que acumulamos nestes anos de 3M.

Dessa forma, trazemos recomendações baseadas na profunda vivência dos "ingredientes da inovação". Temos uma boa base dos pontos que realmente funcionam e daquelas ações que trazem mais efeito propagandístico do que resultados. Portanto, assumimos o compromisso de transparência plena, característica da nossa companhia, que muito praticamos em nossas palestras, nas quais discutimos nossas falhas e oportunidades de melhoria.

Assim, apesar de julgarmos que temos proveitosas lições e referências a dividir, a 3M não tem a pretensão de determinar uma "receita do bolo" definitiva. Humildemente, queremos compartilhar nossa experiência de mais de um século no mundo e de quase sete décadas no Brasil, e inspirá-los para a fascinante estratégia da inovação.

Para nos ajudar nesta missão, convidamos executivos de outras empresas com méritos nesta estratégia para tecer depoimentos e exemplos, tornando o livro mais abrangente, plural e relevante.

Agradecemos a todos os colaboradores que gentilmente participaram do projeto e suas respectivas empresas: IBM, Petrobras, Grupo Pão de Açúcar, GE, Google, Agência Inova/Unicamp, Fiat e Natura.

Pessoalmente, registro meu reconhecimento a todas as pessoas com quem interagi em tantos eventos e palestras sobre o tema, aos autores que li, a outros palestrantes aos quais tive oportunidade de assistir. Certamente, todas essas experiências me enriqueceram muito e permitiram tornar esta ideia do livro de inovação uma realidade.

Agradeço também a meus colegas de 3M, empresa em que nestes anos pude praticar minha criatividade e empreendedorismo tantas vezes, aprendendo diariamente nesta verdadeira escola de inovação e ética. Minha equipe de Marketing Corporativo e a área de Relações Públicas foram decisivas para mim, pois incentivaram e deram significativo suporte ao projeto, e por isso merecem grande distinção.

Por fim, agradeço a meus amigos e minha família, em especial, a minha esposa Ciça e meu filho Gabriel, as maiores alegrias de minha vida, pela inspiração, o apoio e também pela paciência enquanto pesquisava, escrevia e revisava os textos.

Ficaremos muito felizes se esta leitura puder trazer algo novo e útil, sensibilizando mais empresas nos rumos da inovação.

Luiz Eduardo Serafim, head de marketing corporativo da 3M do Brasil

★ Sumário

Capítulo 1

Inovação, criatividade e invenção..pg.19

Criatividade, um ponto de partida..pg.23

Invenções, uma etapa do processo..pg.24

Invenções de vida curta..pg.27

Desempenho econômico: o principal foco da inovação pg.28

Vale a pena ler..pg.31

Mãos à obra: perguntas para reflexão e ação............................pg.31

Case IBM pg.32

Capítulo 2

Desmistificando: inovação é para todos?...................................pg.37

Por que inovar?...pg.45

Princípios e fatores que fazem uma empresa inovadora.............pg.48

Vale a pena ler..pg.49

Mãos à obra: perguntas para reflexão e ação............................pg.50

Case Petrobras pg.50

Capítulo 3

Inovação é muito mais que um produto novo pg.57

Asas para a inovação pg.63

Mais do que produtos e serviços...pg.65

Inovação e estratégia..pg.67

Ferramentas a serviço da inovação pg.71

3M: inovando além de produtos pg.73

Inovação sustentável...pg.74

Inovação para uma cadeia de valor mais sustentável.................pg.75

Inovação em produtos e serviços sustentáveis...........................pg.76
Novos modelos de negócio...pg.78
Inovando para criação de plataformas futuras.........................pg.79
Vale a pena ler...pg.80
Mãos à obra: perguntas para reflexão e ação...........................pg.80
Case Pão de Açúcar...pg.81

Capítulo 4

Liderança, o principal ingrediente da empresa inovadora...........pg.87
E as empresas que não tiveram fundadores inovadores?............pg.92
O desafio constante da liderança...pg.94
Desenvolvendo as lideranças da companhia.............................pg.96
Seu papel como líder inovador..pg.100
Vale a pena ler..pg.101
Mãos à obra: perguntas para reflexão e ação..........................pg.101
Case GE..pg.102

Capítulo 5

Como criar um ambiente favorável para o empreendedorismo?..pg.107
Autonomia..pg.110
Incentivo ao empreendedorismo..pg.114
Cultura de tolerância ao erro...pg.118
Tempo dedicado à inovação pg.121
Reconhecimento..pg.122
Vale a pena ler..pg.125
Mãos à obra: perguntas para reflexão e ação..........................pg.125
Case Google...pg.126

Capítulo 6

Redes de conhecimento: como promover o intercâmbio de ideias...pg.131
Ambientes inovadores..pg.136
Gestão do conhecimento nas organizações.............................pg.139
Diversidade: ferramenta estratégica.......................................pg.144
Polinização cruzada de ideias..pg.145
Redes de conhecimento "para fora": a inovação aberta.............pg.148
Vale a pena ler..pg.152
Mãos à obra: perguntas para reflexão e ação..........................pg.152
Case Agência de Inovação Inova Unicamp................................pg.153

Capítulo 7

Gerando ideias alinhadas com a estratégia de negócios.............pg.159

Três estratégias de inovação..pg.165

Investigação das necessidades...pg.165

Inovação aberta para a estratégia de investigação de necessidades..pg.170

Desenvolvimento tecnológico...pg.172

Inovação aberta para a estratégia de desenvolvimento tecnológico..pg.173

Leitura dos mercados...pg.175

Equilibrando as estratégias de inovação.......................................pg.177

Vale a pena ler...pg.179

Mãos à obra: perguntas para reflexão e ação................................pg.179

Case Fiat..pg.180

Capítulo 8

Implementando a inovação..pg.185

Balanço entre curto e longo prazo..pg.188

Tipos de inovação...pg.189

A gestão de projetos de inovação...pg.193

O pipeline da inovação...pg.193

Funil da inovação: seleção de ideias..pg.195

As diversas etapas do funil da inovação.......................................pg.197

Estruturas para inovação..pg.201

Métricas de sucesso..pg.205

Investimentos para a inovação...pg.209

Vale a pena ler...pg.210

Mãos à obra: perguntas para reflexão e ação................................pg.211

Case Natura pg.211

Capítulo 9

Um resumo final: os 15 princípios da empresa inovadora..........pg.217

Uma pequena história para resumir o funcionamento de um sistema da inovação: a história do Post-it®...pg.230

Fontes de consulta

Capítulo 1

Inovação, criatividade e invenção

"Algumas pessoas veem as coisas como são e perguntam: 'Por quê?'.
Sonho com coisas que nunca existiram e pergunto: 'Por que não?'"
George Bernard Shaw, escritor irlandês

novação é o ato de renovar, introduzir novidade. Para os dicionários, inovação tem praticamente o mesmo significado de criatividade. E foi assim que aprendemos enquanto desenvolvemos nosso vocabulário.

Pensemos em Charles Chaplin, Santos-Dumont, Pelé, Jimmy Hendrix, Chiquinha Gonzaga, Louis Armstrong, Henry Ford, Machado de Assis, Leonardo da Vinci, Coco Chanel e Barão de Mauá. Que adjetivo lhes caberia melhor? Foram inventivos? Criativos? Inovadores? Tanto faz. Estaríamos aplicando termos diferentes para dizer que todos eles romperam limites, alargaram os horizontes de suas atividades e trouxeram algo novo. Em geral, não há motivos para complicar e adotar definições mais rigorosas.

Vamos trazer ao assunto alguns grandes criadores que inovaram em seu tempo e em suas áreas de atuação.

Nos anos 1950, o músico baiano João Gilberto imprimiu às cordas do seu violão uma batida diferente e uma nova técnica vocal que caracterizaram o estilo da bossa-nova. Ele exerceu forte influência no universo musical de toda a segunda metade do século XX e manteve íntima relação com o jazz e o samba, reverenciado por astros do tropicalismo, tornando-se fonte de inspiração perene para os melhores compositores e intérpretes da MPB e da música internacional.

O artista holandês Vincent Van Gogh foi um dos ícones da arte pós-impressionista do século XIX, compondo com suas cores vibrantes e pinceladas características algumas das telas mais conhecidas do mundo. Considerado um dos precursores da arte moderna, é certamente um dos pintores mais admirados e valorizados do planeta. Ironicamente, não obteve reconhecimento artístico em vida e precisou recorrer à ajuda do irmão Theo para sobreviver.

A polonesa Marie Curie deu enormes contribuições à humanidade com seus estudos sobre a radioatividade e a descoberta de dois elementos químicos para a tabela periódica, o polônio e o rádio. Seu comportamento corajoso e determinado lhe abriu as portas de círculos predominantemente masculinos. Tornou-se a primeira mulher a lecionar na universidade parisiense de Sorbonne e a ser reconhecida pela fundação sueca Nobel, que lhe concedeu o prêmio de Física, em 1903, compartilhado com o seu marido Pierre Curie e o cientista Henri Becquerel, bem como o Nobel de Química, em 1911.

Em 1969, o engenheiro mecânico João Augusto do Amaral Gurgel montou com capital exclusivamente nacional a Gurgel Motores, na cidade de Rio Claro. Implantou muitas inovações na indústria automotiva brasileira, a exemplo do uso pioneiro da fibra de vidro para montagem de carrocerias. Amaral Gurgel ainda inovou em diversas frentes, oferecendo já naquela época uma garantia inédita de 100 mil quilômetros para os seus veículos e desenvolvendo os primeiros carros elétricos totalmente projetados e manufaturados no Brasil e comercializados ainda na década de 1970. Modelos como o Ipanema, o Carajás, o X-12, o Supermini e o Itaipu, entre outros, fizeram muito sucesso em alguns nichos de mercado por causa de sua resistência e economia de combustível. Com a abertura da economia e atolada em graves problemas financeiros, porém, a Gurgel foi à falência no ano de 1994.

O norte-americano Orson Welles, que já havia inovado ao narrar, em transmissão de rádio de 1938, uma história de ficção de H. G. Wells chamada *A guerra dos mundos*, com performance extremamente realista, revolucionou a indústria cinematográfica com o filme *Cidadão Kane*, de 1941, produção repleta de novidades técnicas e até hoje apontada na maioria dos rankings como o melhor filme de todos os tempos.

Não há dúvidas de que todas essas personalidades inovaram em suas épocas e nos deixaram um precioso legado. Todos eles mesclaram aprendizados e experiências para produzir uma visão original, diferente, inédita. No entanto, nem todos alcançaram sucesso duradouro. Eles foram inovadores, mas nem sempre se viabilizaram economicamente e de forma sustentada. Aqui, devemos distinguir a inovação, conforme definida nos dicionários, da inovação no contexto das organizações.

Criatividade, um ponto de partida

Para as empresas, inovação tem um sentido muito específico. No mundo corporativo, muitas pessoas ainda atribuem ao termo o significado dos dicionários e continuam pensando que inovação, criatividade e invenção são a mesma coisa. Elas utilizam as três palavras indiscriminadamente, como se fossem sinônimas. No universo que abordamos aqui, trata-se de conceitos distintos, ainda que visceralmente interligados.

A inovação, no meio empresarial, é o objetivo final. É o resultado da introdução de algum elemento com certo grau de novidade capaz de criar valor econômico.

A criatividade, por sua vez, é o ponto de partida para a inovação. Trata-se de uma das mais admiráveis capacidades humanas de produzir ideias, respostas e soluções diante de um problema, uma necessidade ou um objetivo que nos motiva. Chamamos de criatividade a habilidade de conceber ideias novas, de trazer um ponto de vista original para a realidade, de desenvolver um pensamento inédito em determinado contexto.

Certamente você conhece alguém que todos consideram um gênio criativo. É possível que ele tenha sido beneficiado na distribuição das cartas genéticas. Naturalmente, e com muita fluência, essas pessoas produzem ideias novas, inspiram-se com qualquer ato corriqueiro e surpreendem com sua visão diferenciada.

Ao falarmos de criatividade, geralmente pensamos no artista espanhol Pablo Picasso. Ele demonstrou admirável capacidade de transformação, execução e incorporação permanente de novas técnicas, temáticas, interesses, todos representados em suas "fases" artísticas ao longo da vida, tornando-o *state of the art* entre os criativos.

Outro destaque é Leonardo da Vinci, homem de múltiplos talentos, visionário e eclético. Consagrou-se como artista, principalmente como pintor, mas também foi capaz de incursões científicas importantes, com descobertas na anatomia, engenharia civil, física e matemática, esboçando conceitos que se viabilizariam no futuro como o paraquedas, o carro de combate e o equipamento de mergulho autônomo.

Mentes criativas como as de Picasso e da Vinci são curiosas, inconformadas, capazes de juízos autônomos. Entretanto, uma boa notícia é que os "meros mortais" também podem desenvolver seu potencial criativo, que deriva dos processos cognitivos do indivíduo, mas também de fatores psicológicos, motivacionais e ambientais.

Em uma empresa, se queremos melhorar a capacidade de produzir ideias pertinentes e inéditas, deve-se oferecer treinamentos e estabelecer processos a fim de estimular novas formas de pensar e de elaborar soluções. A liderança de uma equipe e o ambiente de trabalho também possuem um grande poder de estimular a atitude do grupo em direção da inovação, mas desse assunto vamos tratar mais adiante.

Não pretendemos, aqui, tratar em detalhe o desenvolvimento da criatividade, mas existem ótimos trabalhos sobre técnicas que ajudam as pessoas a pensarem diferente, desde as obras clássicas de Edward de Bono, as pesquisas de Ellis Paul Torrance, as publicações da pesquisadora de Harvard Teresa Amabile, aos mais recentes *Inovação: prioridade nº 1*, de Rowan Gibson e Peter Skarzynski, e *Innovatrix: inovação para não gênios*, de Clemente Nóbrega e Adriano de Lima.

Este último livro é derivado da clássica *Teoria da Resolução de Problemas Inventivos (Triz)* do pensador russo Genrich Altshuller, elaborada no pós-guerra. Altshuller estudou milhares de patentes e identificou certos padrões, encontrando leis objetivas que invariavelmente regem o trabalho dos inventores e deixam de herança uma metodologia para solução de problemas técnicos e não técnicos.

Certamente, programas de educação e sensibilização à inovação que incluam essas técnicas de criatividade podem ajudar as pessoas de uma organização a pensarem fora da caixa e usarem novos métodos e lentes e para estudar o mundo.

"A verdadeira viagem de descoberta consiste não em procurar novas paisagens, mas em vê-las com outros olhos".
Marcel Proust, escritor francês

Invenções, uma etapa do processo

Hoje, na "Era da Informação", ou, para ser mais atual, "Era Conceitual", autores como Daniel Pink e Gary Hammel destacam a importância de aptidões como a inventividade e a empatia para a Economia Criativa neste início de século XXI. Essa abordagem se alinha perfeitamente com a famosa teoria da Inteligência Múltipla desenvolvida a partir dos anos 1980 com o Projeto Zero, liderado pelo psicólogo Howard Gardner, que descreve sete dimensões mentais, com destaque para seis aptidões além da inteligência lógico-matemática.

Décadas depois de as organizações experimentarem a hegemonia de um pensamento profundamente analítico e linear – ainda importante –, hoje novas competências são requeridas, pois a criatividade tornou-se uma capacidade desejada por todas as organizações – um dos mais importantes diferenciais profissionais.

Entretanto, criar ideias é somente o primeiro passo. Elaborar ideias sem executá-las não traz compensações para o indivíduo, nem sequer contribui com a sociedade.

Nas organizações, ideias não implementadas também não trazem impacto algum. Portanto, quando nossa criatividade nos abastece de boas ideias, deve ocorrer um processo de seleção e priorização que nos leve a apostar em algumas delas. Essa situação pode ocorrer como um processo interno natural, quase inconsciente, por exemplo, quando procuramos um presente de aniversário original para um parente querido. Nesse caso, pensamos em muitas possibilidades e selecionamos uma delas, a mais adequada, aquela que cabe no nosso orçamento e capaz de agradar e surpreender o outro.

Também pode se dar por um processo disciplinado por meio de metodologia e ferramentas de validação, análise de viabilidade técnica e financeira, como ocorre nas grandes empresas que focam seu crescimento em novos produtos e serviços. Afinal, nas organizações, a criatividade não atende apenas à liberdade e decisão de seu criador; ela precisa ser pertinente, adequada, viável e ter potencial de produzir resultados.

Nas organizações, a execução de uma ideia hoje é tão importante quanto à fase de geração de ideias, assim como perfis distintos são essenciais para desenvolver eficientemente o processo de inovação. Em outros termos, mentes criativas não bastam para inovar nas empresas.

Ao priorizar uma ideia original e torná-la algo concreto e tangível, chegamos à invenção, isto é, à implementação da criatividade. A invenção é, portanto, a transformação de uma nova ideia apresentada em planos, fórmulas, protótipos, modelos e outras formas de registro, como resultado de uma ação deliberada para criar algo que atenda uma finalidade.

Muitas invenções impactaram fortemente a sociedade e revolucionaram nossa vida. Geralmente, invenções estão associadas com o progresso da ciência. Entretanto, é importante ressaltar que nem todas as invenções nascem de conhecimentos ancorados no método científico; muito do que usamos em nossa vida advém de conhecimentos populares ou de outras fontes. A tecnologia, por exemplo, é um conjunto de conhecimentos aplicados a algum ramo da atividade humana; já a ciência é a investigação fundamentada de fenômenos, visando à descoberta de princípios entre os elementos, empregando técnicas formais como a observação, a experimentação e outros métodos. A união entre ciência e tecnologia ocorreu principalmente a partir do século XVIII.

Nesse período, com o forte movimento da industrialização, o desenvolvimento tecnológico acelerou-se muito e, nos séculos seguintes, uma onda de invenções transformou todo o modo de vida da sociedade, com a produção em grande escala de locomotivas, automóveis, antibióticos, aviões, eletrodomésticos, alimentos industrializados, produtos de higiene, entre outros.

A invenção da máquina a vapor pelo escocês James Watt é um grande marco desse desenvolvimento. Inicialmente, o sistema foi utilizado para retirar água das minas de carvão inglesas por meio de bombas movidas a vapor. Depois, ele foi aplicado a máquinas de outros setores, como as locomotivas.

Outro marco referencial, porém mais recente, é representado pelo transistor, que muitos consideram a maior invenção do século XX. Trata-se de um componente semicondutor, com capacidade de amplificar e interromper sinais elétricos. Peça-chave de praticamente todos os equipamentos eletrônicos modernos, o transistor foi criado nos laboratórios da Bell, em 1949, pelos cientistas John Bardeen, Walter Brattain e William Shockley, laureados com o prêmio Nobel de Física de 1956.

Atualmente, testemunhamos a disseminação de tecnologias digitais que aceleram os acontecimentos, reduzem distâncias e interferem em nossas experiências, como o uso da internet, dos smartphones, das telas 3-D e dos games, impactando o relacionamento, a comunicação, o aprendizado, a tomada de decisão e a produção de conteúdos.

Em contrapartida, há muitas invenções que nada transformaram, não se viabilizaram e não fazem parte de nossa vida. É nesse ponto que se distingue claramente invenção de inovação nas organizações.

Para se caracterizar como inovação, a invenção precisa ter viabilidade comercial e ser adotada pelo mercado, gerando retorno aos *stakeholders* envolvidos.

"Não quero inventar nada que não seja vendável. A venda é a prova da utilidade, e utilidade é igual a sucesso."
Thomas Edison, inventor norte-americano

Invenções de vida curta

Quando uma novidade no mercado não vinga, não ganha escala, não impacta a sociedade e não é absorvida pelos consumidores, dizemos que ela se restringiu ao status de invenção, ainda que seja brilhantemente engenhosa.

Um bom exemplo é o achocolatado Brown Cow®. Em 1980, a Hershey's Canadá desenvolveu um xarope de chocolate que deveria ser adicionado ao leite. O Grupo Matarazzo, que na época detinha a marca Petybon, associou-se à norte-americana Hershey's para expandir sua atuação no mercado de alimentos. A Petybon introduziu, então, a novidade no mercado brasileiro na mesma década. Para combater a hegemonia dos achocolatados em pó solúvel, lançou no Brasil o xarope de chocolate líquido numa simpática garrafa plástica para ser misturado ao leite. Certamente, neste caso, detectamos a inovação em várias dimensões: no conceito diferenciado do produto, na embalagem e na forma de usá-lo.

No entanto, a novidade não teve vida longa no mercado nacional e acabou sucumbindo ao domínio dos produtos líderes tradicionais, como o Nescau® e o Toddy®. Assim, não vingou, e ao menos no Brasil, não a consideramos uma verdadeira inovação que tenha cumprido seu ciclo completo, diferentemente do Canadá, onde se tornou um produto de sucesso duradouro. Em 2010, noticiou-se que uma empresa nacional voltou a introduzir o achocolatado Brown Cow® no Brasil. Veremos agora se, mais de 20 anos depois, diante de uma nova realidade social, estratégias de marketing mais modernas conseguirão emplacar o produto criativo.

A melancia quadrada também desperta certo encanto nas plateias para as quais discorremos sobre inovação. Novamente, observamos a criatividade humana em ação para solucionar um problema. Muitos vão concordar que o formato oval da melancia traz algumas dificuldades, especialmente de transporte, armazenamento e exposição nos pontos de venda. A fruta ocupa mais espaço e requer fretes custosos, exige atenção na exposição nas lojas, ou para ser servida nas residências.

Então, mentes engenhosas estudaram a questão e propuseram uma solução: que tal uma melancia quadrada? Seria viável? Seria aceitável? Por fim, empreendedores transformaram a ideia em um processo bem-sucedido e eis que melancias quadradas vêm abarrotando as lojas, por todo o mundo. No Japão, é um sucesso. No Ceará, um município voltou fortemente sua economia para produzir e exportar melancias quadradas para os Estados Unidos. No entanto, na maioria das quitandas brasileiras, não encontramos o produto, muito embora outras inovações para a fruta já estejam acessíveis e sendo assimiladas pela população, entre elas, as melancias sem sementes e as baby melancias, com diferenciais pelos quais determinados públicos aceitam pagar mais.

Assim, para o mercado brasileiro, a melancia quadrada ainda é apenas uma engenhosa invenção, não uma inovação. Porém nada impede que, no futuro, a dinâmica da sociedade e as estratégias mercadológicas tornem possível encontrarmos melancias quadradas nas cozinhas brasileiras.

Desempenho econômico: o principal foco da inovação

A 3M também tem diversas invenções que não evoluíram para o estágio da inovação, levando-se em conta a moderna concepção empresarial e acadêmica do tema.

Nos anos 1990, a 3M desenvolveu uma nova aplicação para um de seus produtos consagrados: a tradicional fita dupla-face utilizada na indústria teve seu conceito adaptado para remoção de pelos de roupa. Entretanto, inicialmente o produto foi concebido como um bloco retangular de fitas dupla-face.

Comercializado no Brasil em formato pouco conveniente, sob a marca ScotchPad™, totalmente desconhecida dos brasileiros, e gerenciada à época por uma unidade de negócios industrial que criou a ideia do produto, o "primeiro removedor de pelos e fiapos de roupas" da 3M não decolou no Brasil. Até então era só uma boa ideia que chegara à fase de invenção, sem gerar o retorno que se esperava de todo o investimento alocado no projeto.

Apenas nos anos 2000 o projeto foi resgatado, e agora, sob a liderança da área de negócios de consumo e ostentando a marca Scotch-Brite™, modificou sua concepção com base nas necessidades dos clientes. De formato de bloco se transformou em rolo adesivo, no qual as fitas dupla-face envolvem um suporte bastante conveniente para o uso. Atualmente, é sem dúvida uma inovação, presente em muitos lares brasileiros.

Enfim, chegamos à definição do conceito de inovação.

Na 3M, entendemos que inovação é uma ideia criativa que atende às necessidades e expectativas dos clientes; é empreendida e se torna comercialmente viável, dando retorno a todos os *stakeholders* envolvidos no processo.

Há muitas décadas, a 3M tornou-se uma das maiores referências mundiais em inovação. Nascida em 1902, a empresa vem dando enorme contribuição à sociedade. Inventou a fita crepe, a fita adesiva plástica (durex), a lixa-d'água, a primeira fita para curativos hipoalergênica (Micropore™), a primeira resina de restauração dentária com cor de dente (Addent™), o bloco de recados Post-it®, a esponja de limpeza Scotch-Brite™, entre tantas coisas, derivadas de cerca de 43 mil patentes que dão vida a mais de 55 mil itens vendidos em todo o mundo.

Grande parte desses produtos é mais do que meras invenções e caracterizam-se como verdadeiras inovações porque têm grande impacto na sociedade e na vida das pessoas e certamente trazem retorno para todos os envolvidos: clientes, funcionários, acionistas, fornecedores, entidades, entre outros.

É interessante percebermos a evolução do conceito de inovação nestes últimos tempos. Quando comecei a fazer palestras sobre criatividade e inovação no final dos anos 1990, boa parte do que lia enfatizava apenas seu aspecto econômico. Inovar significava a criação de valor para os clientes quando trazia retorno às empresas, aos acionistas, aos empresários.

Felizmente, a inovação passou a absorver a essência da sustentabilidade, incorporando o escopo da responsabilidade socioambiental.

Atualmente, são comuns, em palestras, livros e artigos, análises mais completas de inovações no mercado, louvando seu caráter disruptivo, revolucionário, tecnológico, mas apontando, também, quando oportuno, seus potenciais impactos sobre a obtenção das matérias-primas necessárias para produzi-las, as condições de trabalho de quem as fabrica ou os riscos de seu descarte após o uso.

Empresas inovadoras dos novos tempos são aquelas que também se preocupam com a gestão do ciclo de vida de seus produtos, que entendem o benefício social de suas ofertas, que verificam e validam as práticas de seus fornecedores, que se atentam aos impactos mais amplos do consumo.

Um dos maiores pensadores sobre gestão, que muito contribuiu para esta visão mais humanista da inovação, foi o austríaco Peter Drucker.

De acordo com a citação de Peter Drucker encontrada no livro de José Carlos Barbieri, inovação para uma empresa não é invenção, nem descoberta. Ela pode requerer qualquer das duas – e frequentemente o faz. Mas o seu foco não é o conhecimento, e sim o desempenho econômico. Sua primeira aplicação é como estratégia, para tornar o dia de hoje plenamente eficaz e levar a empresa existente para mais próxima do ideal[1]. Se invenção é um fenômeno exclusivamente técnico, inovação é um fato técnico, econômico, organizacional e social.

Outra definição original de inovação que faz sucesso foi estabelecida por Sílvio Meira, pesquisador de engenharia de software e cientista-chefe do C.E.S.A.R, moderno ícone da inovação brasileira no setor de tecnologia da informação. Repetida diversas vezes por ele e reforçada em post de 24 de março de 2010 em seu blog *Dia a Dia, Bit a Bit*, para Meira, a inovação seria "a emissão de mais e melhores notas fiscais", o que mostra claramente que, para que a inovação se caracterize, precisa gerar resultados.

Há outra definição bem conhecida entre os estudiosos da inovação. Segundo Geoffrey C. Nicholson, antigo vice-presidente de operações internacionais da 3M, "pesquisa é transformar dinheiro em conhecimento. Inovação é transformar este conhecimento em dinheiro".

O Fórum de Inovação, núcleo que estuda o assunto na Escola de Administração de Empresas de São Paulo da Fundação Getulio Vargas, resume o conceito com uma equação matemática simples e pertinente:

---

[1] BARBIERI, J. C. *Organizações inovadoras:* estudos e casos brasileiros. São Paulo: Editora FGV, 2003.

Inovação = Ideia + Implementação + Resultado

Em síntese, a inovação nasce com a ideia criativa, que se transforma pelo conhecimento em projeto, patente, registro ou fórmula, e finalmente é implementada com disciplina, para criar valor e gerar retorno aos envolvidos no processo.

 Vale a pena ler

DRUCKER, Peter. *Innovation and entrepreneurship:* practice and principles. New York: Harper, 2006.
GIBSON, Rowan; SKARZYNSKI, Peter. *Inovação:* prioridade n° 1 – o caminho para transformação nas organizações. São Paulo: Campus, 2008.
NÓBREGA, Clemente; LIMA, Adriano R. de. *Innovatrix:* inovação para não gênios. São Paulo: Agir, 2010.
STERNBERG, Robert J. *Handbook of creativity.* Massachusetts: Cambridge Press, 1998.

 Mãos à obra: perguntas para reflexão e ação

O que é inovação para sua organização?
Todos estão alinhados com essa definição de inovação?
Na sua organização, você saberia apontar que ideias foram apenas criativas, quais chegaram ao status de invenção e quais se tornaram verdadeiras inovações?
Como você analisa seu desempenho na geração e implementação de novas ideias?
Que resultados você adicionou para seus clientes, externos e internos? E para sua empresa?
Falando sobre criatividade, como a organização e as lideranças podem estimular suas equipes a buscarem novas ideias?
Que mudanças a Era Conceitual deve trazer para sua organização?
Sua organização está preocupada com o impacto social e ambiental das inovações que gera?

Conteúdo construído a partir de informações e revisão de Fábio Gandour, cientista-chefe da IBM Brasil

A IBM é uma empresa reconhecidamente inovadora presente em cerca de 200 países e com um time de mais de 400 mil funcionários.

Sua história oficial começa em 1911, mas podemos investigar suas origens desde o final dos anos 1880, na ação de suas empresas predecessoras, as quais se fundiriam posteriormente, dando origem à Computing-Tabulating-Recording Company.

Em seu início, a CTR Co. manufaturava e comercializava máquinas elétricas para processamento de dados com cartões perfurados, registradores mecânicos de tempo e instrumentos de aferição de peso.

Foi em 1924, com a diversificação de atividades e a rápida expansão dos negócios, que ocorreu a mudança formal do nome da empresa para International Business Machines, a IBM.

Neste século de existência, a organização liderou grandes transformações na indústria da informática, contribuindo para a sociedade com desenvolvimentos pioneiros, como: a Tecnologia dos Chips, de Reconhecimento de Voz; Linguagens de Programação de Computação (por exemplo, o Fortran, formula translation system), Bancos de Dados Relacional; Memória de Acesso Dinâmico Randômico (DRAM), Armazenagem de Dados em Discos Magnéticos; os Caixas Eletrônicos Bancários (Automated Teller Machines); o Sistema de Código de Barras para produtos (Universal Product Code); Supercondutividade em Alta Temperatura por Materiais Cerâmicos; Conceitos de Geometria Fractal; Sistema de Criptografia para Segurança de Dados; os Supercomputadores, entre tantas outras inovações.

Uma das maiores lições da IBM neste período de cem anos tem sido a visão de longo prazo de sua gestão, influenciando comportamentos internos e decisões de investimento na alocação de recursos.

Com o objetivo de ser uma das maiores empresas de tecnologias para negócios do mundo, a IBM sempre priorizou a atividade de pesquisa, tornando a IBM Research peça fundamental de sua estratégia de negócios.

O primeiro laboratório de pesquisa da IBM foi fundado em 1957 por Thomas J. Watson, ainda como um pequeno centro que funcionava na Columbia University. Ao longo do tempo, outros laboratórios foram implantados ao redor do mundo, somando oito unidades: três nos Estados Unidos, e outros na Suíça, em Israel, no Japão, na China e na Índia.

Portanto, a inovação da IBM é resultado, em grande parte, de uma clara estratégia de desenvolvimento tecnológico de longo prazo que considera amplas áreas de pesquisa com foco na solução dos desafios enfrentados pela sociedade. O vasto escopo de atuação contempla os campos da Ciência da Computação e Engenharia Elétrica, Matemática, Química, Física, Ciência dos Materiais, Ciência de Serviços, Biologia, Geologia e Neurologia Computacionais, Ciências Comportamentais, Economia e Finanças, Administração e Processos, entre outros.

A comunidade técnica da IBM Research possui mais de 3 mil profissionais com ph.D., que interagem e cooperam numa atmosfera similar a das universidades, seja pelo abrangente universo de conhecimentos a serem estudados, pela busca por excelência científica, ou ainda pelo notável ambiente de abertura e colaboração.

Certamente, essa é uma diferenciação expressiva para estruturar um sistema de inovação eficiente. Dessa forma, em algumas décadas, acumulamos reconhecimentos significativos, como cinco prêmios Nobel, seis Turing Awards (o Nobel da área da Computação), nove US National Medals of Technology e cinco US National Medals of Science, entre outras premiações.

Outro aspecto fundamental da inovação da IBM é o equilíbrio entre a excelência científica e o impacto positivo da pesquisa e do desenvolvimento tecnológico nos negócios da empresa.

É muito importante que haja uma sincronia forte entre a ciência como doutrina e a ciência como negócio. Afinal, a inovação se caracteriza quando as descobertas são absorvidas pela sociedade e empregadas pelos usuários, trazendo retorno aos que participam de seu processo.

Esse impacto pode ser facilmente verificado pelo grande portfólio de patentes da IBM, um dos maiores do mundo. Desde 1992, a IBM lidera o ranking das empresas com maior número de patentes nos Estados Unidos, com destaque para o ano de 2009 em que obteve 4.914. O negócio de venda e licenciamento de sua propriedade intelectual é responsável anualmente por um montante que ultrapassa a marca de US$ 1 bilhão. Vale lembrar que inovação exige adaptação e transformação contínua da companhia. Na última década do século XX, a IBM se reorganizou profundamente, buscando novas áreas de atuação que se definiram na sua visão de crescimento e de competitividade futura, como software, serviços, soluções e business analytics. Assim, a partir dos anos 1990, a IBM passou a trabalhar em forte parceria com clientes e governos na busca de solução para seus problemas. Paralelamente, no universo acadêmico, a IBM Research estabeleceu mais de 20 convênios com centros de pesquisa e universidades em todo o mundo.

Neste início de século, outro traço perceptível da estratégia de inovação da IBM é a globalização de suas atividades de pesquisa. Nos últimos anos, nossos cientistas, apoiados por inúmeras tecnologias colaborativas, passaram a formar equipes globais para desenvolvimento de projetos. Nesse cenário, alinhada com a liderança da área de pesquisa de repensar suas estruturas para o século XXI, em 2010 foi decidida a criação, no Brasil, do nono laboratório da IBM Research.

Para definir os pilares técnicos e científicos para a atividade de pesquisa desse laboratório, enfrentou-se sucessivas transformações, buscando a manutenção de um alinhamento adequado com os objetivos maiores da IBM Corporation, das necessidades de sua subsidiária brasileira e também das perspectivas estratégicas do governo do país.

No final de 2010, o escopo de atuação do laboratório da IBM Research no Brasil incorporou as áreas de Recursos Naturais (exploração inteligente de recursos naturais, enfatizando a indústria de petróleo e gás); Sistemas Humanos (pesquisa dedicada aos momentos de grande agregação humana, como em eventos esportivos e de entretenimento, em especial, Copa do Mundo e Olimpíadas); Microeletrônica de Dispositivos Inteligentes (dispositivos para um planeta mais inteligente, como sensores, atuadores de campo, etc.) e, finalmente, Sistemas de Serviços (ciência, tecnologia, gestão e inovação de sistemas de serviços).

Com essa abordagem global, a IBM orienta seus negócios pela visão de que a tecnologia deve ser usada para construirmos um planeta mais saudável, sustentável e inteligente. Nosso propósito é aplicar o conhecimento em todos os sistemas, modos de trabalho ou processos de produção para ajudar o mundo a funcionar mais eficientemente. Temos numerosos desafios para enfrentar na sociedade contemporânea, como os congestionamentos de trânsito, serviços de saúde, oferta e gestão de energia, conservação de água potável, entre outros.

Ao completarmos um século, a inovação se mantém como principal motor de crescimento sustentado da IBM, sempre associada ao desenvolvimento de tecnologias que beneficiem toda a sociedade, resolvendo seus problemas para construir um futuro melhor.

★ Capítulo 2

Desmistificando:
inovação é para todos?

"Se você quer saber sobre seu passado, olhe para sua condição no presente. Se você quiser saber o que vai acontecer no futuro, olhe para suas ações no presente."
Ensinamento Budista

Hoje, professores, palestrantes, executivos, consultores, jornalistas econômicos, todos pregam o exercício da inovação como atividade mandatória, a única fórmula de sucesso para o progresso das organizações. Costuma-se professar que o único caminho da sobrevivência empresarial é a inovação.

Quando falamos de nações, não há dúvida de que os investimentos em educação, a promoção de um ambiente de negócios que facilite o empreendedorismo e os esforços para o desenvolvimento científico e tecnológico, aplicados ao mercado, deveriam ser prioridades entre as políticas de Estado. Admiramos os países que mostram consistente evolução na melhoria dos patamares educacionais da população, na vitalidade das micro e pequenas empresas, na capacidade de geração de patentes, no crescimento do número de cientistas, na migração do comércio de produtos primários para atividades que agreguem mais valor na cadeia de produção, na estruturação do ambiente de pesquisas voltado para atender demandas. Exemplos asiáticos como Japão, Coreia do Sul e, mais recentemente, China e Índia geralmente nos vêm à mente quando louvamos essas transformações econômicas carregadas de inovação que tanto impacto social trazem a seus povos.

O desenvolvimento sustentável da economia e da sociedade brasileira passa certamente pelo estímulo à inovação. A análise de nossas exportações, concentradas em indústrias de baixa e média-baixa tecnologia (em 2010, apenas 4,6% de nossas exportações foram de produtos de alta tecnologia, de acordo com o Ministério do Desenvolvimento, Indústria e Comércio Exterior) e de nossas importações, altamente focadas em itens de média-alta e alta tecnologia (cerca de 61% de nossas importações em 2010) nos impõe a emergência de modificar esse cenário. Felizmente, muitas iniciativas estão em curso para mudança desse quadro, tanto do lado governamental como da iniciativa privada.

A Mobilização Empresarial pela Inovação (MEI) orquestrada pela Confederação Nacional das Indústrias, as recentes legislações para incentivar a inovação, as atividades promovidas pela Financiadora de Estudos e Projetos (Finep), Sebrae, Senai, a atuação das agências de inovação das universidades públicas, o apoio da Associação Nacional de Pesquisa e Desenvolvimento das Empresas Inovadoras (Anpei) e a multiplicação de centros de estudo de empreendedorismo nas faculdades privadas são algumas evidências positivas da recente movimentação dos atores da inovação no Brasil.

Não há dúvida também de que, no âmbito individual, todo profissional deve ser inovador. É um requisito extremamente desejado pelas empresas. Repetimos que atualmente é um grande diferencial de impacto no desenvolvimento de carreiras e no sucesso profissional, quando resulta em resultados expressivos para as organizações.

As áreas de recrutamento e de desenvolvimento de talentos estão ávidas, mais do que nunca, de líderes transformadores, flexíveis, com visão estratégica imaginativa, que assumam riscos, tomem decisões corajosas, mantenham-se sempre sintonizados com as mudanças de mercado e sejam capazes de forte execução. Então, do ponto de vista individual, realmente não há escolha. A inovação também é um imperativo e merece muita atenção de todos nós.

E para as empresas? É verdade que só há o caminho da inovação?

A 3M é uma das empresas mais entusiastas dessa estratégia, trabalhando como nenhuma outra para disseminar os conceitos da gestão da inovação pelo mundo. Paradoxalmente, quero ser um pouco mais rigoroso para falar do assunto.

De maneira geral, é claro que concordamos que a inovação é a melhor das estratégias competitivas, fazendo coro aos melhores pensadores de gestão da atualidade.

A teoria, desde os estudos pioneiros de Schumpeter, e os numerosos exemplos práticos nos mostram que a inovação é obrigatória para organizações que desejam desempenhar em patamar superior e manter ciclos duradouros de crescimento. Portanto, do ponto de vista da organização, inovação é disciplina obrigatória, indispensável, tanto quanto são a gestão da qualidade total, os princípios de governança corporativa e os programas de excelência em supply-chain.

Nossa preocupação de ordem prática é lembrar que a organização deve refletir sobre a profundidade em que deseja mergulhar no processo de implantação de uma abrangente cultura de inovação.

O professor Paulo Figueiredo, da EBAPE/Fundação Getulio Vargas, desenvolve uma interessante abordagem que leva muito em conta a perspectiva dos países emergentes na inovação. Sob esse ponto de vista, todas as empresas inovam, porém em graus muito distintos. A inovação acontece mesmo quando copiam algo da empresa líder, quando adotam a internet para analisar fornecedores e colocar pedidos on-line, ao mudar a comunicação visual e a disposição dos produtos na loja, entre centenas de ações de cópia, imitação, experimentação e adaptação que atualizam o negócio e garantem sua sobrevivência e sintonia com o mercado.

Nesse sentido, inovação como palavra de ordem é realmente para todos. Quem não fizer o mínimo para se atualizar e se adaptar ao mercado e às necessidades dos clientes estará mesmo fora do jogo.

Em contrapartida, nem toda empresa tem vocação para determinar a inovação como prioridade maior, e nem todas terão condições de implementar um sistema de inovação de forma ampla e profunda, ultrapassando o patamar mínimo, como reza o manual. Além disso, nem todo empresário tem a mesma dose de ambição nem todo setor da economia tem a mesma dinâmica e competitividade.

Certamente, esse sistema de inovação deveria ser o objetivo da organização ideal, mas, pragmaticamente, sabemos que isso não é sempre factível. Será que essas empresas estarão condenadas à insignificância em seus mercados? Será que realmente desaparecerão da arena competitiva? Isso é o que diz a maioria dos livros, artigos e palestras. Inovar para valer ou morrer. E é assim mesmo que deve ser o discurso, um chamamento firme para a conscientização sobre a mudança cultural proposta. No entanto, na prática, a realidade é um pouco menos apocalíptica.

No centro de sua cidade, deve existir aquele restaurante antigo, tradicional, em que garçons com mais de 30 anos de casa servem sempre o mesmo cardápio. Seus próprios clientes rejeitam mudanças, pois querem preservar o prazer do passado. O restaurante talvez não esteja no ranking da revista britânica Restaurant Magazine e não desfrute do mesmo prestígio alcançado pelo El Bulli de Ferran Adrià, mas pode estar feliz com seus resultados.

Da mesma forma, a mercearia na esquina do bairro em que nasci continua quase igual ao que era no início, há mais de 40 anos. Talvez hoje não venda mais por "cadernetas" e até ofereça meios eletrônicos de pagamento. Deve ter introduzido alguns itens em seu portfólio e eliminado outros. Mesas nas calçadas são renovadas periodicamente. No entanto, no geral, é exatamente a mesma mercearia de quando eu era criança e provavelmente continuará na mesma esquina, por muitos anos, impassível à nossa discussão sobre o tema.

Em contrapartida, um poderoso tsunami devastou a paisagem em que se encontravam lojas de revelação fotográfica, fliperamas, cinemas fora da área de shopping centers e locadoras de vídeo. Nesses mercados, quem ficou parado, sem responder às tendências, aos comportamentos e motivações do consumidor, deve ter enfrentado uma crise de graves proporções.

Agora, pense sobre a estratégia agressiva de crescimento do grupo brasileiro Hypermarcas. Controlador da empresa Arisco até 2000, João Alves de Queiroz Filho investiu pesado na construção da marca Assolan® no mercado de palhas de aço a partir de 2002. Em 2005, priorizou uma estratégia diferenciada e construiu uma das maiores empresas brasileiras de bens de consumo. Seu impressionante portfólio de marcas e produtos inclui os desodorantes Avanço, Trés de Marchand e Leite de Colônia, as fraldas PomPom e Sapeka, os preservativos Olla e Jontex, os acessórios para barbear Bozzano, as colônias Rastro, produtos para cabelos Denorex e Selsun Azul, Biocolor e Aquamarine, os medicamentos Benegrip, Rinossoro, Doril, Engov, Gelol, Calminex, Polaramine e Atroveran, os cosméticos Monange, Paixão e Risqué, protetores solares Cenoura & Bronze e Episol, produtos para higiene bucal Sanifill e Bitufo, os adoçantes Finn, Zero-Cal e Adocyl, a linha de alimentos Etti, entre outras.

É claro que existe inovação na Hypermarcas. Tenho certeza de que ela é desejada e estimulada pela liderança do grupo. Certamente, todo dia ocorrem inovações em seus processos de negócio e seus funcionários contribuem talentosamente com ideias de melhorias, reduções de custo, otimização de sistemas, distribuição ou comunicação diferenciada.

Entretanto, é visível que sua estratégia competitiva principal não é a inovação. A Hypermarcas provavelmente não seria lembrada, ao menos por enquanto, no topo de nenhuma lista de empresas inovadoras brasileiras. Em vez de investir pesadamente em centros de pesquisa, departamentos de inovação, treinamentos de criatividade, sistemas de gestão do conhecimento e monitoramentos de métricas de inovação, a Hypermarcas alocou seus maiores esforços em aquisições de empresas da área de higiene e beleza, medicamentos e alimentos, com grande potencial de crescimento, invejável distribuição e cobertura de mercado e forte gestão de marcas. Isso vem lhe proporcionando crescimento rápido, embora estejam revisando a estratégia para o futuro.

Há também empresas que acabam por criar um sistema de inovação não para todo seu universo, mas em determinados departamentos, gerando verdadeiras ilhas de excelência de inovação, nas quais sua contribuição se faz altamente crítica para o sucesso dos negócios. Conhecemos indústrias que possuem, por exemplo, áreas extremamente inovadoras de design e engenharia de produto, com vultosos investimentos, métricas definidas, robustas pesquisas de mercado, sem que o restante da organização respire os mesmos princípios. Não é o modelo ideal teórico pregado nos livros, mas responde bem às prioridades da organização e ainda sim trazem resultados consistentes.

Existem ainda muitas empresas, no Brasil e no mundo, que operam deliberadamente como imitadoras, e que ainda assim crescem, obtêm sucesso e atingem os objetivos a que se propõem de maneira satisfatória. Aguardam a movimentação das empresas líderes e copiam seus programas, na medida em que suas estruturas permitem, buscando agir com mais velocidade, simplicidade e com custos reduzidos.

Apesar de seu posicionamento de seguidora, isso não significa que tais empresas nunca desenvolvam inovações em seus próprios processos ou não gerem esporadicamente ofertas inovadoras. Isso pode acontecer e trazer resultados pontuais, e certamente são bem-vindos e desejados pela organização. Todavia, elas não possuem cultura de inovação implantada e não dispõem de mecanismos para um fluxo permanente de inovações. Ainda assim, sua atuação persistente pode muitas vezes incomodar as líderes de mercado.

Talvez essas empresas seguidoras não durem um século como a 3M, a GE, a IBM, a Bayer, a Dupont e a Philips. Além disso, é muito provável que tenham retornos menores do que as empresas inovadoras de seus setores, que provavelmente ostentam marcas mais fortes, melhor qualidade, maior poder nos canais de venda, preferência dos consumidores e, portanto, são líderes incontestes em participação desses mercados.

Já a 3M é um exemplo de empresa que leva a estratégia da inovação ao patamar de prioridade absoluta. A 3M, fundada em 1902, gerou sua primeira inovação radical em 1921, quando desenvolveu a lixa-d'água. Nas suas primeiras duas décadas, não havia ainda uma opção clara pela inovação como estratégia competitiva. Aliás, esses conceitos nem estavam suficientemente amadurecidos na época. Afinal, o primeiro grande estudioso da inovação como motor do desenvolvimento econômico, o economista Joseph Schumpeter, publicava sua obra pioneira *A teoria do desenvolvimento econômico* no início dos anos 1910.

Entretanto, já na década de 1930, uma série de decisões gerenciais na 3M promoveu a inovação à estratégia de negócios principal. Há mais de 80 anos, diretrizes são reforçadas e investimentos por toda a empresa são feitos ininterruptamente para garantir o sucesso da estratégia de inovação.

Quando uma organização define a inovação como prioridade estratégica, são requeridos grande esforço, comprometimento e altos investimentos para erguer um sistema que estabeleça a inovação como modelo de negócios. Em outras palavras, transformar uma empresa em verdadeira máquina de inovação, que conduza ao crescimento contínuo e sustentado com a criação de valor em diversas dimensões é uma missão que exige tempo, aplicação de recursos e prática sistemática de muitos princípios.

Portanto, agora que estamos cientes da importância da inovação, entendendo que todas as empresas inovam em algum grau, mas também sabendo que a profundidade do "mergulho" pode variar, vale uma pergunta prática: Qual o papel que a inovação deve ter na estratégia de sua empresa? Uma prioridade absoluta, tratada de modo sistêmico? Uma coadjuvante importante? Um foco para determinados departamentos? Retórica vigorosa e algumas esparsas iniciativas com efeitos irregulares? Uma ação mínima de atualização às transformações de mercado?

Para cada opção, há riscos, retornos, desafios e esforços específicos que conduzirão as organizações a colherem resultados muito diferentes. A 3M defende a escolha da inovação como a essência mais importante da gestão de seus negócios e convida todos a refletirem sobre os aspectos positivos desta transformação cultural estratégica.

Por que inovar?

Se falamos que inovação não é algo banal e que precisa ser fruto de uma escolha estratégica que absorverá recursos e energia significativa das organizações, por que então elas deveriam investir nessa complexa transformação?

Primeiro, inovação é uma estratégia competitiva poderosa. Um de seus aspectos mais relevantes é que o cliente deve estar sempre no foco do processo de inovação. É para seus clientes que a organização busca inicialmente criar valor. Se trabalhamos perto de nossos clientes, entendendo suas necessidades e expectativas, descobrindo suas preferências, processando tudo com imaginação e criatividade, desenvolveremos soluções que atenderão aos consumidores, aumentando seu grau de satisfação e lealdade para com nossa marca e ofertas. Assim, inovação é um meio de satisfazer e fidelizar clientes.

Não é coincidência encontrarmos empresas como a 3M, IBM, Microsoft, GE, Intel, Disney, Toyota, BMW, Johnson & Johnson, Procter & Gamble e HP entre as líderes de mercado, as cem melhores marcas (ranking Interbrands) e as 50 empresas mais admiradas do mundo (revista Fortune).

Nos últimos anos, as empresas aprenderam também que é muito bom para os negócios quando as marcas são percebidas pelos clientes como inovadoras. É um atributo que pode atuar decisivamente para que o cliente dê preferência a um produto em detrimento de seu concorrente. Uma boa parte dos clientes tende a ver marcas inovadoras como especiais, modernas, mais competentes, com qualidade superior. Assim, identificam-se com essas marcas, seus produtos e serviços, estando mais propensos a defender essas organizações, a pagar preços premium, a experimentar seus novos lançamentos, a recomprar seus produtos ao longo dos anos. Quem não fica seduzido hoje pelas inovações da Apple como os Macs, iPods, iTouchs, iPhones e iTunes?

Além da 3M, destaque constante nos diversos rankings das empresas mais inovadoras, há muitas marcas de enorme sucesso e que certamente também carregam forte imagem de inovação. Entre tantos nomes admiráveis, as imbatíveis Apple, Google, Facebook e Amazon em tempos digitais, as coreanas LG e Samsung, as norte-americanas Nike e Walmart e as brasileiras Petrobras, Natura e O Boticário.

Por conta desse efeito positivo da inovação na imagem das marcas, vemos atualmente um exagero de empresas, de seguradoras a indústrias de alimento, de automóveis a bancos de varejo, de políticos em suas campanhas eleitorais a supermercados, todos querendo se posicionar como inovadores.

Nossa visão é de que todo esse esforço de comunicação deve ocorrer apenas quando for realmente a essência da organização, refletindo verdadeiramente seus valores e modos de operar. Ao contrário, estamos diante da inaceitável propaganda oportunista, que pouco efeito trará, uma vez que não está lastreada pela realidade e que, portanto, não se sustentará no longo prazo.

Quando se inova, encontramos também uma oportunidade privilegiada para construir uma posição sólida no mercado que nos assegure a liderança. Para a 3M, temos muitos exemplos de inovações que inauguraram mercados, onde ainda mantemos a liderança por muitos anos.

Veja o caso das esponjas Scotch-Brite[MR], oriundas da evolução de uma das nossas 46 plataformas tecnológicas que dominamos, batizada de "não tecidos". A fibra de nailon, impregnada de pequeninos grãos abrasivos, foi desenvolvida para aplicações industriais de lixamento leve em 1958 e, no ano seguinte, foi adaptada, ganhando duas faces para uma nova aplicação, criando a esponja de limpeza Scotch-Brite[MR], muito conhecida dos brasileiros com as cores nacionais, verde e amarela. É uma linha de produtos que incorporou melhorias e outras dezenas de inovações ao longo destes mais de 50 anos, nos quais defendemos uma forte liderança de mercado, com marca bastante reconhecida, qualidade indiscutível e benefícios que atendem às necessidades dos consumidores brasileiros.

É verdade que não basta ser o primeiro para manter a liderança e garantir o crescimento. A Palm foi a primeira empresa a lançar os aparelhos precursores dos computadores de mão (muitos ainda chamam esses equipamentos de palm tops), mas perdeu sua competitividade e foi adquirida pela HP em 2010. A MicroPro International foi a empresa que desenvolveu o Wordstar, o popular software de processamento de texto que os brasileiros usavam no início dos anos 1990 em seus computadores, substituído em grande parte pelo programa Word da Microsoft. A Kodak foi a primeira empresa a desenvolver a tecnologia da fotografia digital a partir de 1975, mas depois de tantas décadas de supremacia no mercado de câmeras e filmes fotográficos, e um exemplo constante de excelência em marketing, hoje busca se renovar. Já Nokia, Samsung e outras empresas da indústria de eletrônica são responsáveis pela maior parte das fotos clicadas nessa década.

Conjugando satisfação e fidelização de clientes, pioneirismo e liderança em novos mercados e forte imagem de marca, não é surpresa que empresas inovadoras tendam a gerar maiores retornos no longo prazo.

Por fim, vale mencionar que empresas inovadoras costumam ter mais sucesso na atração e retenção de talentos, parceiros e investidores.

Na 3M, todo funcionário sente uma enorme satisfação em participar de uma organização que tem o propósito de transformar o mundo com soluções geniais que tornem a vida das pessoas mais fácil, mais prática, segura e saudável. Há décadas, nossos vendedores escutam de seus clientes durante as visitas frases como: "Qual a novidade que você trouxe hoje para minha empresa?" ou: "Isso só podia ser coisa da 3M". Dessa forma, sentem grande orgulho de participar dessa cultura de inovação, dando ideias de novos produtos, oferecendo serviços diferenciados como treinamentos e consultoria técnica e executando os planos de negócio de suas regiões.

Da mesma forma, semanalmente recebemos consultas de revendas que desejam distribuir nossos produtos, pois acreditam no potencial de negócios de uma empresa tremendamente inovadora, bem como avaliamos muitos projetos de patrocínio que desejam associar seus eventos com nossa marca diferenciada.

Google, IBM, Natura, Nestlé, Embraer e tantas outras certamente também desfrutam desse cenário positivo de atração de talentos que desejam contribuir, aprender e se desenvolver nessa atmosfera excitante de inovação presente nesse tipo de organização, bem como se beneficiam do interesse de investidores que desejam apostar no crescimento promissor dessas empresas.

Princípios e fatores que fazem uma empresa inovadora

A analogia é simples, mas efetiva. Construir uma empresa inovadora é como preparar um bolo de chocolate. Precisamos de muitos ingredientes com seu próprio papel e importância. Colocamos farinha, ovos, leite, fermento, açúcar, calda de chocolate, seguindo determinada sequência, obedecendo certa disciplina, cumprindo as etapas de "untar a forma", "bater a massa" e "assar no forno". Alguns itens são essenciais para o bolo crescer, ficar leve e compor um sabor delicioso. Outros adicionam características especiais que colaboram com o conjunto e o tornam mais atrativo, como a cobertura e algumas cerejas.

Para construir uma organização inovadora, também são necessários muitos ingredientes que se complementam e se reforçam.

Não basta que se organize uma palestra de conscientização sobre o tema, convidando algum professor, consultor ou palestrante; não será suficiente criar apenas alguns canais para que os funcionários enviem ideias, seja na intranet da empresa ou em urna tradicional, mesmo que incentivados por um prêmio atraente para as melhores sugestões; tampouco valerá simplesmente criar um comitê de inovação que se reúna periodicamente para gerar e avaliar ideias.

Claro que existe a possibilidade de que inovações prosperem a partir dessas iniciativas. O treinamento em inovação é inspirador e esclarecedor sobre como avançar no tema, a disponibilidade de canais para novas ideias é condição absolutamente necessária para inovar, e algumas estruturas e cargos para acelerar o processo de transformação são bastante eficazes.

Porém, uma cultura de inovação sólida é mais complexa e depende de muitas variáveis interdependentes. Trabalhar de forma assistemática, em apenas alguns fatores, pode gerar resultados pontuais, isolados. Para inovar por décadas ou até por um século como 3M, GE e IBM, é preciso dispor de um sistema de inovação.

O começo de tudo é pela escolha da estratégia, conforme falamos anteriormente. Decidir, de verdade, sem mera retórica, o papel prioritário da inovação no crescimento dos negócios da organização. Depois, uma série de ferramentas, processos de gestão, sistemas e valores precisam ser incorporados em várias áreas da companhia, incluindo Marketing e Vendas, P&D, Recursos Humanos, TI, entre outros, para impactar os processos da organização como um todo em favor da inovação. As missões são desafiadoras e tomam longo tempo.

Capacitar lideranças, estimular o intraempreendedorismo, proporcionar uma gestão de conhecimento eficiente na empresa, fortalecer a habilidade dos profissionais em detectar tendências e necessidades dos clientes, implantar mecanismos de reconhecimento, garantir uma cultura de tolerância a erros e que incentive a tomada de riscos, entre outras medidas, fazem parte do roteiro ideal para erigir uma cultura sustentável de inovação.

Em contrapartida, não queremos gerar uma impressão de que conduzir essa transformação é tarefa impossível, custosa e complexa demais, levando os leitores ao desânimo e sensação de impotência.

Como já ressaltado, depende da profundidade e velocidade com que se deseja implantar a mudança. Também não defendemos que seja necessário ter todos os ingredientes à mão no mesmo momento para preparar o bolo da inovação. Nem as empresas mais inovadoras do mundo têm todos esses ingredientes sempre disponíveis e harmoniosos, nas doses devidas, e costumeiramente também precisam recomeçar e iniciar novas transformações, "com o carro andando", corrigindo problemas que aparecem na arena competitiva a todo instante.

Inovação é uma jornada. Se esta realmente for a escolha de sua organização, é preciso traçar um plano, definir prioridades e dar os primeiros passos.

E, independentemente da sua organização, entender os princípios da gestão da inovação pode lhe ajudar muito a transformar ao menos sua unidade de negócios, seu departamento, seu universo mais próximo.

"A vida não passa de um instante, mas basta este instante para empreendermos coisas eternas."
Ernest Bersot, filósofo e jornalista francês

 Vale a pena ler

SCHERER, Felipe Ost; CARLOMAGNO, Maximiliano Selistre. *Gestão da inovação na prática:* como aplicar conceitos e ferramentas para alavancar a inovação. São Paulo: Atlas, 2009.

FIGUEIREDO, Paulo N. *Gestão da inovação:* conceitos, métricas e experiências de empresas no Brasil. São Paulo: LTC, 2009.

ANDREASSI, Tales. *Gestão da inovação tecnológica.* São Paulo: Thomson Learning, 2006.

Mãos à obra: perguntas para reflexão e ação

Pense na competitividade e nas transformações de seu mercado, bem como na ambição de sua organização para crescer e reflita sobre a importância da inovação para progredir.

Qual é a verdadeira importância da inovação na estratégia da sua organização? Que evidências o levam a essa conclusão?

Cite algumas iniciativas, nas diversas áreas da sua empresa, que para você colaboram para inovar.

Na sua opinião, as iniciativas são pontuais ou contínuas, isoladas ou integradas?

Quais os benefícios que uma cultura de inovação pode trazer para seu negócio? E para seu departamento?

Quais são os riscos de não inovar para sua organização? E os riscos de sua área?

Há clareza na sua organização de que a inovação é gerada por um sistema?

Na sua opinião, quais são os ingredientes da inovação que hoje requerem mais atenção na sua empresa ou no seu departamento?

★ *Case Petrobras*

Conteúdo construído a partir de informações e revisão de Luiz Cláudio de Marco Meniconi, consultor sênior do CENPES/PDP/TMEC

Imaginemos que a maioria das operações realizadas hoje em plataformas seja transferida para o leito marinho, a mais de 2 mil metros de profundidade, e controlada remotamente a partir de salas de operações em terra. Pensemos que o óleo e o gás produzidos nos campos sejam separados diretamente no fundo do mar e depois enviados ao seu destino. Imaginemos, também, moléculas desenvolvidas para detectar onde o óleo ou a água se acumulam num reservatório de petróleo.

Essas e outras inovações vêm sendo desenvolvidas pela Petrobras para suportar o grande número de projetos programados pela empresa para desenvolver as enormes jazidas de petróleo descobertas nos últimos anos na costa brasileira, principalmente na camada pré-sal.

O guarda-chuva sob o qual são desenvolvidos é o Programa Procap Visão Futuro, que engloba cinco áreas de atuação: novo conceito de sistemas de produção, engenharia de poço, logística, reservatório e sustentabilidade.

O objetivo maior é pensar o futuro da Petrobras como um cenário integrado, no qual se antevejam as conexões entre as diferentes tecnologias que nortearão a futura produção da empresa. Considerado um passo adiante na caminhada tecnológica da Petrobras rumo à consolidação do seu status de maior operadora em águas profundas do mundo, o Procap Visão Futuro é um desdobramento de outros programas, iniciados nos anos 1980, quando a companhia concentrava esforços para viabilizar a exploração e produção de óleo em águas cada vez mais profundas. Vencida essa etapa, o foco agora é a visão integrada de grandes rupturas tecnológicas.

No final da década de 1980, a Petrobras havia descoberto os campos de Marlim e Albacora, localizados a cerca de mil metros de profundidade. Era preciso desenvolver tecnologia suficiente para chegar até lá. Foi quando se criou o primeiro Programa de Capacitação Tecnológica em Águas Profundas, o Procap. Um importante objetivo de inovação daquele momento era adaptar tecnologias já desenvolvidas para produzir petróleo em lâminas-d'água de 400 metros, na Bacia de Campos – o poço mais profundo da Petrobras na época. Dos recursos mobilizados pelo Procap, 80% seriam investidos na extensão de tecnologias já existentes e 20% em tecnologias de ruptura.

Entre esse primeiro Procap e o Procap 3000, levado a termo nos anos 2000, a Petrobras trilhou uma longa história de sucessos. Já que no mundo não havia tecnologia para produzir reservas em águas profundas, a Petrobras investiu no conceito de plataformas flutuantes de produção e em novos equipamentos submarinos, o que resultou em recordes mundiais de completação submarina.

Mais adiante, elegeu novos desafios, desenvolvendo inovações como o primeiro bombeio centrífugo submerso submarino e a primeira ancoragem de plataforma feita totalmente por cabos poliéster – que lhe renderam em 1992, e novamente em 2001, o Distinguished Achievement Award, o maior prêmio da indústria de petróleo offshore no mundo, concedido pela Offshore Technology Conference (OTC).

Para atender ao seu propósito de se tornar símbolo de excelência em tecnologia na indústria do petróleo e energia, há décadas a empresa adotou sólida estratégia tecnológica para construir capacidade de pesquisa, desenvolvimento e engenharia de produto no Brasil. O Centro de Pesquisas & Desenvolvimento Leopoldo Américo Miguez de Mello (Cenpes) – um dos maiores centros mundiais na área de pesquisa aplicada à indústria de energia – foi criado em 1963. Dotado atualmente de 30 unidades-piloto e 137 laboratórios, tem como missão prover e antecipar soluções tecnológicas que suportem o Sistema Petrobras, com visão de inovação e sustentabilidade. O centro responde pelas atividades de pesquisa e desenvolvimento, engenharia básica e gestão de tecnologia da companhia.

Fiel ao seu propósito de se tornar um polo de inteligência offshore no Brasil, a Petrobras entende a busca por inovação como uma aplicação prática do conhecimento, capaz de gerar resultados positivos para o seu negócio. Para garantir essa aplicação prática, a companhia orienta-se segundo quatro princípios que balizam a gestão da carteira de projetos de pesquisa:

a. um alto alinhamento com os negócios e foco em resultados – as carteiras de projetos de pesquisa são formadas a partir de um desdobramento do planejamento estratégico e do plano de negócios da companhia, de forma que cada projeto esteja voltado para oferecer soluções que suportem uma ou mais metas de negócios;

b. a implementação de soluções tecnológicas – os projetos de pesquisa do Cenpes têm metas objetivas com prazos acordados com as diversas áreas da empresa;

c. a integração com parceiros em tecnologia – é parte da cultura da empresa a articulação com diversos atores: fornecedores, universidades e até mesmo com outras grandes empresas do setor de petróleo, para que possa alcançar suas metas tecnológicas;

d. a construção de capacidade local – em 2009, cerca de R$ 400 milhões foram direcionados a universidades e institutos de pesquisa nacionais, parceiros na construção de infraestrutura experimental, na qualificação de técnicos e pesquisadores e no desenvolvimento de projetos de pesquisa.

Para perseguir a inovação, a empresa aposta em recursos fundamentais: pessoas qualificadas, investimentos e infraestrutura experimental. Para viabilizar sua agenda tecnológica, o Cenpes dispõe hoje de cerca de 1.600 empregados próprios – 800 pesquisadores e 300 engenheiros – atuando na atividade de engenharia básica. Quase 50% dos profissionais do Cenpes são mestres e cerca de um quarto é de doutores. O Centro de Pesquisas também possui cerca de 500 técnicos que operam e mantêm instalações experimentais nos seus diversos postos, desde laboratórios tradicionais até plantas experimentais semi-industriais. Além disso, em função das parcerias com universidades e institutos de pesquisa nacionais, para cada pesquisador do Cenpes há na academia brasileira quase dez pesquisadores trabalhando em projetos de interesse da Petrobras.

Os recursos financeiros destinados à pesquisa e ao desenvolvimento na Petrobras ganharam fôlego sobretudo nos últimos cinco anos. Entre 2007 e 2009 foram investidos U$ 2,5 bilhões em P&D. Desse montante, 59% foram destinados às atividades de exploração e produção e 21% às novas tecnologias de processos de transformação, refino e petroquímica. Também foram investidos 4% em biocombustíveis (cerca de R$ 130 milhões só em 2009), o que faz da Petrobras um dos dez maiores investidores mundiais em P&D nessa área.

Da mesma forma, a Petrobras está provendo investimentos na infraestrutura experimental: o Cenpes ganhará mais 183 mil metros quadrados, duplicando seu espaço físico e tornando-se um dos maiores complexos de pesquisa aplicada do mundo. Ao todo, 227 laboratórios estarão voltados ao atendimento das demandas tecnológicas das diversas áreas de negócio da Petrobras, com destaque para os laboratórios de Biotecnologia, Meio Ambiente e Gás & Energia. A ampliação contará com modernos laboratórios para atender exclusivamente às demandas do pré-sal.

Mas é da rede de parcerias tecnológicas que a empresa mais tira oxigênio: em 2006, a companhia adotou um novo modelo de cooperação com universidades e institutos de pesquisa, baseado em dois modelos de relacionamento estratégico. No primeiro, estabeleceram-se núcleos de competência no segmento petróleo, gás e energia, em regiões de intensa atividade operacional da companhia. Em cada região foi selecionada uma instituição de ensino e pesquisa, que desenvolverá atividades voltadas para o atendimento das demandas tecnológicas específicas daquela região, criando-se assim sete núcleos regionais de competência.

O segundo modelo elegeu 50 temas de interesse estratégico para a empresa na área de petróleo e gás e identificou 114 instituições nacionais de P&D para trabalhar em parceria com ela. Surgem, assim as redes temáticas – 42 ao todo – para desenvolver projetos num formato que busca a colaboração entre instituições de reconhecida competência.

Hoje, a Petrobras é a empresa que mais investe em ciência e tecnologia no Brasil, e é também reconhecida como uma das organizações mais inovadoras do mundo. Nossa inovação é movida pelo desafio de prover a energia capaz de impulsionar o desenvolvimento e garantir o futuro da sociedade de forma sustentável.

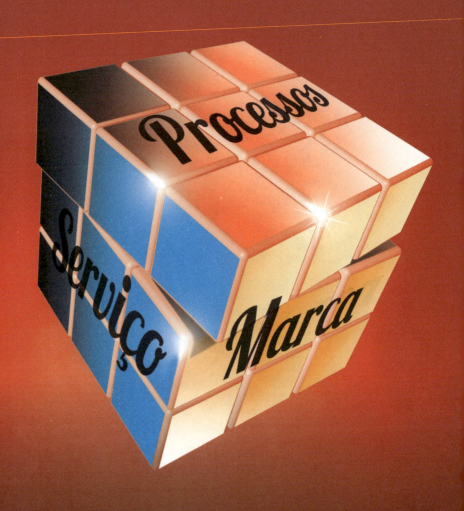

★ Capítulo 3

Inovação é muito mais que um produto novo

"Pensar pequeno e pensar grande dá o mesmo trabalho. Mas pensar grande te liberta dos detalhes insignificantes."
Jorge Paulo Lemann, empresário

Quando falamos de inovação nas organizações, é muito provável que o nosso pensamento se concentre inicialmente nos processos de introdução de novos produtos, com forte liderança da área de Pesquisa & Desenvolvimento.

Nada mais natural, pois foram as indústrias pioneiras, em especial do setor químico e, posteriormente, de Tecnologia da Informação, que forjaram o modelo de inovação consagrado nas companhias durante todo o século XX, com base em sólidas estruturas de laboratórios de pesquisa, aperfeiçoamento de plataformas tecnológicas, registros de patente e mecanismos de defesa da propriedade intelectual.

No final do século XIX, vigorava entre os cientistas um pensamento muito purista, com grande influência alemã e, depois, francesa, que enaltecia a pesquisa pura e a busca do conhecimento per se, ao passo que a busca da aplicação comercial do conhecimento era vista com reserva, e muitas vezes severamente criticada.

Nessa época, o papel do Estado era ainda muito limitado para o fomento da inovação. Assim, como Henry Chesbrough narra em sua famosa obra Open innovation, os grandes empreendedores daqueles tempos desenvolveram um modelo baseado na criação de seus próprios laboratórios e métodos de pesquisa, hoje caracterizados como "Sistemas Fechados de Inovação".

Posteriormente, os pensadores se debruçaram sobre as experiências dessas empresas, sistematizando suas práticas em processos e metodologias que hoje são ensinados e aplicados às organizações.

Alguns centros tornaram-se legendários na história corporativa mundial, contribuindo para o fortalecimento do paradigma da inovação assentado em pesquisa e desenvolvimento de produtos e tecnologias.

O laboratório de Thomas Edison em Menlo Park, Nova Jersey, inaugurado em 1876, é apontado como a primeira instalação privada criada fora da fronteira da academia, especificamente para processos sistemáticos de Pesquisa e Desenvolvimento de aplicação industrial. Um ano depois, produzia sua primeira inovação: o fonógrafo. Em 1879, Edison conseguiu superar seus concorrentes, ao manter sua lâmpada incandescente acesa por 13 horas e meia – uma façanha rapidamente aperfeiçoada para 40 horas.

Em 1880, Menlo Park testava o primeiro sistema subterrâneo de eletricidade em seus arredores. O trem elétrico tornou-se uma realidade em 1881. No ano seguinte, em setembro de 1882, Edison construiu uma pequena estação distribuidora de eletricidade na cidade de Nova York e encantou a população ao iluminar toda a Pearl Street com luz elétrica. Em pouco mais de dez anos, até 1887, ano em que Edison transferiu seu laboratório para um novo local em West Orange, o centro de pesquisas de Menlo Park submeteu cerca de 400 patentes. Seu legado continuou produzindo frutos ao impulsionar os negócios da Edison General Electric, empresa fundada pelo inventor em 1889, que se fundiria três anos depois com a sua concorrente, a The Thomson-Houston Company, para dar origem à GE, que ao lado da 3M, é uma das maiores referências mundiais em inovação. Em 1900, a própria General Electric iniciava seu Laboratório de Pesquisa & Desenvolvimento.

Na Alemanha, a Friedrich Bayer foi fundada em 1863 por dois empreendedores ligados à indústria de tinturaria, setor que tomava impulso naquela década graças ao desenvolvimento de corantes artificiais. Em 1878, a Bayer também construía seu laboratório científico. Logo nas suas primeiras décadas, a empresa diversificou seus negócios ao criar o departamento de produtos farmacêuticos e lançar a Aspirina – uma das mais importantes inovações da área de saúde –, em 1899.

A Bayer se fundiu com a BASF e a Agfa, formando a I.G. Farbenindustrie, em 1925, e então continuou desenvolvendo inovações como o poliuretano em 1937 e o policarbonato em 1954, concomitantemente à GE. Depois da Segunda Guerra Mundial, o conglomerado foi dividido em 12 pequenas companhias, entre elas, a Farbenfabriken Bayer AG. Ao longo de décadas, a companhia recuperou sua vocação de pesquisa e desenvolvimento de produtos, com progressos significativos nas áreas de saúde – remédios cardiovasculares, antifungicidas dermatológicos e outros antibióticos –, produtos para proteção da lavoura e materiais especiais.

A gigante química Du Pont iniciou sua trajetória em 1802 nos Estados Unidos, graças ao empreendedorismo de imigrantes franceses que fugiram da Revolução Francesa. Sua primeira operação foi a produção de pólvora para explosivos e, ainda na primeira metade do século XIX, a empresa tornou-se o principal fornecedor do exército norte-americano. A Estação Experimental Du Pont também foi um dos primeiros laboratórios de pesquisa industrial do mundo, ao ser constituída em 1903 para aprofundar a investigação da química da celulose, fundamental para a futura diversificação das atividades. Em 1927, foi lançado um programa formal de Pesquisa Básica em Química Orgânica, Física e Engenharia Química. Como consequência, a partir dos anos 1930 surgiram muitas inovações, como a síntese dos primeiros superpolímeros que convergiriam na invenção do náilon, bem como na síntese e polimerização do neoprene e o desenvolvimento dos fios de rayon. Os fluorpolímeros celebrizados por sua aplicação nas panelas de revestimento antiaderente e pela marca Teflon® vieram nos anos 1940. Nos anos 1960, a Du Pont desenvolveu a fibra de Lycra® e na década de 1970, as fibras de alta força Kevlar®, usadas nas roupas à prova de bala. Outras contribuições de grande impacto foram o gás freon para a indústria de refrigeração (o hoje rejeitado gás clorofluorcarbono) e seus sucessores mais ecologicamente corretos, os pigmentos sintéticos para a indústria de tintas e, mais recentemente, as patentes relacionadas a biocombustíveis e biomateriais.

A AT&T (originalmente, American Telephone & Telegraph Company) foi formada em 1885 a partir da Bell Telephone Company, empresa fundada em 1877 pelo inventor Alexander Graham Bell, que havia registrado duas patentes do telefone no ano anterior. Integrantes da AT&T, os Laboratórios Bell, surgidos em 1925, contribuíram com descobertas científicas tão relevantes quanto o transistor, em 1949; um primeiro equipamento capaz de transformar a energia solar em eletricidade, em 1954: a descoberta do laser (Light Amplification by Stimulated Emission of Radiation), em publicação científica de 1958;

a construção e o lançamento do primeiro satélite de comunicação em 1962; os telefones com teclas substituindo os discos de rotação, em 1963; a primeira rede comercial para telefones celulares lançada em Chicago na década de 1970; o primeiro chip processador digital de sinais, em 1979, entre tantas inovações derivadas de mais de 30 mil patentes. Posicionados como o maior centro de inovações em comunicação, os Laboratórios Bell fazem parte do Grupo Alcatel-Lucent desde meados dos anos 1990. Para registrar, a veterana AT&T teve de se reestruturar em 1995, dando origem a três empresas, entre elas a Lucent Technologies.

O PARC foi outro centro de referência em pesquisa e inovação no século passado. Nascido dentro da Xerox em 1970, o Palo Alto Research Center se tornou uma subsidiária independente de sua empresa-mãe a partir de 2002. Na sua origem, a companhia reunia um time de experts em informação e física para serem "arquitetos da informação" e criarem o escritório do futuro. Algumas de suas contribuições pioneiras foram a impressão a laser, em 1971; o padrão Ethernet, em 1973; uma revolucionária interface gráfica para uso nas estações de trabalho, em 1975; a primeira rede local operando com base em cabos de fibra ótica, em 1982, e os primeiros aparelhos para acesso de dados móveis e sem fio, no ano de 1988.

A 3M também fez escola, fortalecendo seu modelo de pesquisa e desenvolvimento a partir de 1937, quando investiu na expansão de seu programa de pesquisa com a criação do Laboratório Central, conduzido pelo cientista Richard Carlton. Ao lado dos projetos de melhorias de produtos (abrasivos, fitas e adesivos), a empresa incorporava objetivos de pesquisa independentes de seus negócios da época, com visão de longo prazo.

Em 1940, a 3M também estruturou um departamento de novos produtos para avaliar as possibilidades de novas ideias de negócios. Três anos mais tarde, era criado o laboratório de fabricação de produtos para desenvolver métodos de manufatura para novas produções. Assim, constata-se o estabelecimento estratégico de um ecossistema de inovação que geraria milhares de patentes nos anos futuros. Essa iniciativa contribuiu muito para que a companhia se mobilizasse para desenvolver inovações que a levariam a novos produtos e mercados, tornando-a provavelmente a empresa de tecnologia mais diversificada do mundo. Atualmente, a 3M domina 46 plataformas tecnológicas, como adesivos, abrasivos, cerâmica, nanotecnologia, microrreplicação e filmes ópticos, que convergem para cerca de 55 mil itens. Desde então, a 3M ampliou sua estrutura de pesquisa para mais de 85 laboratórios ao redor do mundo, onde trabalham cerca de 10 mil cientistas e técnicos.

Como se pode notar, a trajetória de grande sucesso destas e de outras empresas consagrou determinados padrões de inovação, com seus modelos, estruturas e métricas, e um foco exclusivo em produtos e tecnologia, que até hoje influencia a busca pela inovação nas organizações.

Apesar de muitas mudanças recentes, a inovação em produtos ainda é muito importante. É a parte mais perceptível da inovação e encontrada de forma tangível em nossos lares, nas lojas de varejo, nas ruas das cidades. Um televisor LED, um potente removedor de manchas de roupas, tablets modernos e smartphones, um tênis com um revolucionário sistema de amortecimento, um iogurte funcional eficaz, um protetor de pele com alta capacidade de bloquear os efeitos nocivos dos raios solares são exemplos de inovações de produtos que consumimos em quase todos os lugares do planeta e que giram a roda da economia.

"O pensamento lógico pode levar você de A a B; mas a imaginação te leva a qualquer parte do Universo."
Albert Einstein, físico

Asas para a inovação

Nas últimas décadas, na área de serviços, houve grande evolução para agregar valor e satisfazer clientes, ampliando as possibilidades para inovações diversas. A Anhanguera Educacional, fundada em 1994 por um grupo de professores na cidade de Leme, interior de São Paulo, tornou-se a maior organização privada com fins lucrativos do setor de ensino profissional no Brasil. Ao direcionar suas ofertas para novos públicos de renda média e média-baixa, carentes de opções viáveis para ter acesso ao ensino superior, a instituição adotou uma estratégia inovadora e fez uma forte aposta na modalidade de ensino a distância para os próximos anos. Na área de educação executiva, a HSM é um ícone inovador de reconhecimento mundial nascido no Brasil. Com permanentes transformações em suas ofertas, que evoluíram da organização de fóruns, contou com a participação de grandes representantes da gestão mundial para prover conteúdos em canal de televisão paga, revistas, coleções de livros e DVDs, até a recente iniciativa de montar uma Escola de Negócios no Brasil, além de expandir suas operações nas Américas.

Companhias de Seguros também inovaram para fidelizar seus consumidores, oferecendo novas formas de precificação a determinados públicos, estabelecendo serviços adicionais como o atendimento a pequenos consertos domésticos e suporte de help desk, além de constantes benefícios expandidos, desde descontos em redes de estacionamentos, informações sobre o trânsito de São Paulo (Rádio Sul América Bandeirantes) a surpreendentes lanches no momento da prestação de socorro ao automóvel – uma inovação simples e marcante para os clientes da seguradora Porto Seguro.

As churrascarias rodízio, nascidas da criatividade de empresários na região Sul na década de 1970, segundo o jornalista J. Dias Lopes, transformaram-se significativamente quanto ao atendimento e espaço físico, tipos de carne e acompanhamentos.

Para mostrar a amplitude das oportunidades, vale até lembrar de um exemplo divertido, compartilhado nas boas aulas do meu colega, o professor Romeo Busarello, que aponta a importância da inovação até para o vendedor de milho na praia, que pôde acrescentar o fio dental ao seu mix de produtos e promover uma conveniente "venda casada". Eu reparo que alguns empreendedores da orla já foram além, oferecendo o milho cozido debulhado no prato, fora da espiga, com manteiga e outras sugestões de condimentos, e agregaram ainda mais valor à oferta.

Se considerarmos também as mais antigas atividades econômicas do homem, a agricultura e a pecuária, elas também estão repletas de exemplos de transformações, seja nas técnicas de plantio, seleção de sementes, controle de pragas, equipamentos e implementos para preparação da terra e colheita, vacinação e monitoramento do gado, entre tantas inovações que elevaram a qualidade, aumentaram a produção e melhoraram as condições de trabalho no campo.

Nos últimos anos, consta que a produtividade brasileira na agricultura quintuplicou. Certamente, a fertilidade da terra, a pujança dos empresários nacionais, mas, em especial, os esforços no desenvolvimento de tecnologia nessa área, puxados pela Embrapa e alguns outros atores, contribuíram fortemente para esse resultado.

Ainda que a nação precise investir rapidamente no desenvolvimento de produtos de maior tecnologia, é importante reparar que a produção de commodities importantes em que nos destacamos globalmente, como soja, petróleo, celulose e etanol, abrange um espectro de significativo conteúdo tecnológico. Imagine quanta inovação é necessária para explorar petróleo em águas profundas e na camada pré-sal e transformar o cerrado em celeiro para o mundo.

Com esses exemplos, mais uma vez se comprova que a inovação não conhece limites, não se aplica melhor a alguns mercados, não se adéqua mais a alguns consumidores, e não se resigna diante de paradigmas e dificuldades. Empresas de grande ou pequeno porte, de qualquer setor econômico, nas capitais ou nos sertões do país, todas têm oportunidade para incluir a inovação entre suas prioridades estratégicas como motor de crescimento.

Mais do que produtos e serviços

Hoje, a inovação vai muito além de produtos e serviços. Seu escopo é mais amplo e pode progredir em muitas direções.

Uma ferramenta interessante é o diagrama das dez dimensões de inovação, classificadas em quatro grandes grupos, e divulgado pela Doblin, uma consultoria ligada ao Grupo Monitor. Trata-se de outra forma de classificação das inovações que pode inspirar os líderes para o pensamento estratégico e o crescimento de seus negócios.

Figura 3.1 Diagrama das dez dimensões de inovação

Estrutural	Processo	Oferta	Experiência	
Modelo Negócios	Processo Suporte	Produto	Canais	
Redes e Parcerias	Processo Núcleo	Plataforma	Marca	
		Serviço	Experiência do Cliente	

Fonte: Doblin.

Em uma análise recente, observa-se que a criação de valor para muitas empresas tem vindo de outras dimensões além do tradicional eixo de produtos e serviços. Um case interessante é o da empresa química Dow Corning, que adotou um novo modelo de negócios para a categoria de silicones de uso cirúrgico, incorporando inovações em muitas frentes, especialmente em estrutura e processos. No início deste século, a companhia criou a Xiameter®, uma marca e empresa separada para vender commodities pela internet, com nova estrutura de custos e foco no mercado da base da pirâmide.

Ainda estruturalmente, gigantes da área de supermercados, como Walmart e Pão de Açúcar, são expoentes nas inovações em redes e parcerias, aumentando seus negócios muito além da área de alimentos e desenvolvendo de forma criativa componentes de suas cadeias de valor, desde a integração com fornecedores, construção e manutenção de lojas, até a gestão de estoques e reciclagem de embalagens, entre outros.

O grande varejista brasileiro Casas Bahia, hoje parte do Grupo Pão de Açúcar, demonstrou grande maturidade em inovação no grupo de processos, seja nas suas capacidades de integração de operações (TI, compras, finanças, vendas, logística etc.), seja em seus processos básicos (negociação com fornecedores, estoques, atendimento e financiamento a clientes, entre outros). É verdade, ainda, que atuou com bons resultados na plataforma de experiências, com grande expertise em adequar formatos e localização de lojas de acordo com as oportunidades de crescimento em relação ao seu público-alvo, até o modelo de megaevento do Super Casas Bahia bem como a tardia abertura de e-commerce.

A Alpargatas, do grupo brasileiro Camargo Correa, também é um destaque em inovação, especialmente na dimensão de sua marca Havaianas®. Primeiro, surpreenderam ao criar enorme diversidade de itens em torno de algumas plataformas de produto. Seus tradicionais chinelos de dedo ganharam muito valor pelo design, com coleções intensamente renovadas. Outros produtos foram criados, como bolsas e toalhas. Porém, a principal inovação foi transformar uma marca associada a um produto muito popular em grife valorizada. A distribuição dos produtos em canais mais elitizados, inclusive exportados, os quiosques em centros comerciais e a exploração de novos mercados com edições especiais de festas, casamentos e outros eventos completam o leque de inovações da Havaianas®, sempre comunicadas aos consumidores de forma brilhante.

No modelo das dez dimensões de inovação, um dos exemplos mais robustos e definitivos é da empresa norte-americana Apple. Em 2001, o Ipod foi lançado. Pouco depois, veio a loja iTunes. Um novo modelo de negócio vencedor nascia, integrando hardware potente, software inteligente, conteúdo digital e design inovadores, e proporcionando uma fantástica experiência ao consumidor, turbinada por uma comunicação de marca genial. Em outras palavras, esse modelo da Apple inclui inovações de pelo menos oito dimensões e a colocou entre as maiores e mais inovadoras empresas do mundo.

"Tem uma frase de Wayne Gretzky (ex-jogador canadense de hockey no gelo) que eu adoro: 'Meu foco é dirigido para onde vai estar o disco, e não onde esteve'. E nós sempre tentamos fazer isso na Apple. Desde o começo. E sempre faremos."
Steve Jobs, fundador da Apple

Inovação e estratégia

Antes de inovar em certa dimensão, o melhor caminho é operar na avaliação, definição e execução da estratégia empresarial. A estratégia, afinal, define a abordagem diferenciada da companhia para competir e as vantagens competitivas em que se baseia, com o objetivo de criar e sustentar um valor econômico superior.

Vantagens competitivas não são permanentes e tornam-se vulneráveis a novos entrantes, tecnologias, regulamentações e outros fatores imprevisíveis do ambiente de negócios. A inovação aqui surge como estratégia permanente para conquistar vantagens competitivas, neutralizar vulnerabilidades e identificar oportunidades.

Michael Porter, um dos maiores pensadores de gestão e maior representante da Escola de Estratégia baseada na conquista de posição diferenciada, nos remete à sua consagrada Análise da Cadeia de Valor, tão disseminada pelas organizações do mundo todo. A ideia é buscar a diferenciação e encontrar em cada aspecto da cadeia de valor uma oportunidade de inovação e de criação de vantagem competitiva.

Porter, em suas palestras, costuma compartilhar a visão sobre dois cases famosos para ilustrar a importância da inovação estratégica: os exemplos do Café Nespresso® e dos Móveis Ikea.

O conceito Nespresso® faz hoje um estrondoso sucesso em todo o mundo. No mercado extremamente disputado dos cafés, a Nestlé desenvolveu ao longo de décadas um modelo sólido, focado em consumidores sofisticados e exigentes, sensíveis à conveniência, que tomam café regularmente em casa ou no escritório. Esse público é atendido com produtos de alta qualidade, diversidade, fáceis de preparar, oferecidos a um preço premium. A grande inovação está no modelo de negócio, na avaliação e entendimento do mercado e no desenvolvimento de uma estratégia diferenciada, que cria uma nova proposta de valor, desbravando um espaço inexplorado da arena competitiva.

A ideia do sistema Nespresso® nasceu na Nestlé na metade dos anos 1970, mas não vingou na primeira tentativa. A "invenção" tornou-se inovação apenas no final da década de 1980, quando a companhia suíça inovou em cada componente da cadeia de valor em sintonia com as expectativas e necessidades dos consumidores daquele momento – dezenas de variedades de cafés de alta qualidade; mix ofertado; desenvolvimento de parcerias para fabricação de máquinas de café espresso personalizadas; design de produtos; centenas de sofisticadas lojas nos principais centros urbanos internacionais; formato das cápsulas de café individuais que o mantêm sempre fresco e fácil de usar; estimulantes campanhas de comunicação, como a série de comerciais estrelados pelo ator George Clooney.

A Ikea, por sua vez, é uma grande e badalada rede de varejo de móveis e decoração de origem sueca que pode ter inspirado no Brasil a atuação de empresas como a Tok Stok e a Etna. Ela também inovou estrategicamente ao criar um distinto Value Proposition. Focada em jovens consumidores, que montam sua primeira casa ou apartamento, ou em consumidores que enfrentam restrição de espaço no lar, mas têm interesse em moda e design, a Ikea oferece móveis desmontáveis, inteligentes, modulares e adaptáveis, dotados de estilo, a preços bastante razoáveis.

Aqui também a cadeia de valor desenvolvida está repleta de inovações para viabilizar consistentemente essa nova proposta adequada a novas demandas de certos grupos de consumidores. Grandes lojas self-service, enorme diversidade de estilos e ambientes, produtos de qualidade, modulares, fáceis de montar pelo próprio cliente, entre outros, são algumas das inovações.

Com os exemplos da Nespresso® e da Ikea, destaco o revolucionário modelo de negócios da empresa aérea Southwest, que começou a voar nos Estados Unidos em 1971. Sua história é amplamente estudada desde o início dos anos 1990 e replicada por diversas empresas, como Ryanair e a EasyJet, e chegou a inspirar companhias brasileiras como a Gol e, mais recentemente, a Azul Linhas Aéreas.

Jatos de um único tipo e fornecedor, malhas aéreas com voos diretos e frequentes, novas rotas para cidades médias com potencial de crescimento, serviços muito amigáveis e de qualidade, preços menores e um estilo bastante informal caracterizam a estratégia de inovação da Southwest, que, paralelamente, eliminou sofisticações como refeições a bordo, check-ins assistidos, reservas de assento e salas de espera. Quem tem pelo menos 35 anos, deve recordar que, até meados dos anos 1990, no Brasil e em boa parte do mundo, as companhias aéreas inovavam quase unicamente sob a ótica de agregar serviços e sofisticar a oferta para poucos clientes com acesso a esse custoso meio de transporte. Novos entrantes copiavam as líderes num tempo em que os comissários de bordo vestiam roupas de estilo, as passagens aéreas lembravam talões de cheques e as refeições eram similares às dos restaurantes em terra, exigindo pratos e talheres.

Um dos livros mais reverenciados e populares no escopo dessa mesma Escola Estratégica é *A estratégia do oceano azul*, de Renée Mauborgne e W. Chan Kim. De forma similar, a abordagem dos autores da Insead nos instiga a refletir sobre nosso modelo de negócios e a encontrar oportunidades para construir um posicionamento estratégico diferenciado e relevante. De forma mais simples, é sugerido um modelo de quatro ações para criar uma nova curva de valor, na qual se questiona:

1. Que atributos reduzir bem abaixo dos padrões setoriais?
2. Que atributos elevar bem acima dos padrões setoriais?
3. Que atributos considerados indispensáveis pelo setor devem ser eliminados?
4. Que atributos nunca oferecidos pelo setor devem ser criados?

Veja o quadro a seguir com conteúdo do website www.kcblueoceanstrategy.com.br.

Figura 3.2 Conteúdo do website da Estratégia Oceano Azul

No Brasil, a Kimberly-Clark tornou-se um representante oficial da Estratégia do Oceano Azul em 2008, quando criou o Kimberly-Clark Blue Ocean Strategy Institute of São Paulo, para treinar seus funcionários e disseminar os conceitos estratégicos em suas operações na América Latina.

Um dos exemplos mais famosos, usados para ilustrar os conceitos dessa estratégia de inovação, ao lado do próprio case da Southwest, é o modelo bem-sucedido do Cirque de Soleil, cujo fundador intuitivamente transformou vários componentes da cadeia de valor da indústria circense no Canadá. Eliminou os shows com animais, as arenas múltiplas e os descontos para grupos, enquanto criava uma nova atmosfera, mais sofisticada, com picadeiro único, temas artísticos para cada nova temporada e diversos subprodutos, como DVDs, CDs, camisetas e canecas, e um batalhão de atletas e artistas submetidos a um exaustivo processo de treinamento. O "novo circo" é oferecido aos públicos do mundo todo a preços elevados que permitem uma experiência de entretenimento inesquecível.

Ainda que os exemplos da Ikea, Nespresso®, Cirque de Soleil e Southwest retratem com mais ênfase a entrada de um novo player na indústria, a recomendação é de que os líderes e seus times usem ferramentas como as análises de Porter e a matriz da curva de valor do Oceano Azul, entre outras, em exercícios regulares que devem fazer parte de seus processos de planejamento.

Outras Escolas Estratégicas sugerem diferentes caminhos para o sucesso. A Escola com foco em execução, inspirada pelos trabalhos de W. Edwards Deming, Ram Charan, Michael Hammer e outros, prega a construção da vantagem competitiva via excelência operacional enquanto autores como Gary Hammel, C.K. Prahalad e Chris Zook valorizam a concentração de esforços nas competências centrais.

É sabido que toda abordagem estratégica tem desafios, vantagens e limitações. Entretanto, é essencial que o sistema de inovação, se adotado pela organização, esteja alinhado com sua estratégia.

Também é muito importante orientar para que a criatividade e o empreendedorismo dos colaboradores estejam sintonizados com os objetivos da empresa. É romântico e desejado que cultivemos um ambiente favorável, com canais para acolher quaisquer ideias de nossos funcionários e permitir que a inovação floresça a todo momento e por todos os lados da organização. É ótimo termos em cada funcionário um empreendedor potencial com ideias efervescentes e sem grandes barreiras para apresentá-las.

No entanto, é pouco produtivo quando não direcionamos a inovação. Pode-se incentivar a criatividade de forma ampla, geral e irrestrita, mas o sucesso empresarial será tanto maior quanto mais alinhadas estiverem as ideias com os objetivos da organização.

Ferramentas a serviço da inovação

Na 3M, desde que a inovação foi priorizada como modelo de negócios há muitas décadas, surgiram ferramentas de planejamento que estimulam e "pressionam" os gestores de negócios a perseguirem o crescimento por meio da inovação.

No processo de planejamento estratégico anual, os líderes das unidades precisam elaborar planos de crescimento de suas áreas. As ferramentas utilizadas na 3M para esse planejamento requerem obrigatoriamente planos de novos produtos e serviços. Assim, um gestor de determinada área da 3M sempre terá um bom armazém de ideias e projetos robustos em seu pipeline de inovação, pois certamente será cobrado para apresentar, de forma consistente, planos e resultados expressivos de novos produtos e serviços no decorrer dos anos.

Essas ferramentas também direcionam os gestores da 3M para a expansão dos negócios a mercados adjacentes. É assim que levamos nossa oferta de incubadoras para esterilização de materiais hospitalares a clínicas odontológicas; nossas resinas desenvolvidas para emblemas automotivos para aplicações em linha-branca; nossos programas de saúde ocupacional da indústria para a área de construção civil.

Também se buscam os chamados "espaços em branco", as oportunidades além dos negócios centrais e dos mercados adjacentes, que exigem uma operação diferente no novo modelo de negócios.

Outra ferramenta interessante disponível para o planejamento estratégico da empresa com foco em inovação é o "Radar da Inovação", desenvolvido por três pesquisadores da Kellogg School of Management, Mohanbir Sawhney, Robert Wolcott e Inigo Arroniz.

O radar é composto por 12 dimensões, criando uma "moldura" conceitual e uma metodologia para visualizar, diagnosticar, comparar e melhorar a performance de inovação em uma organização.

Sua grande contribuição é indicar explicitamente que existem outras dimensões de inovação, além do eixo de "novos produtos e serviços", ajudando-nos a pensar por outras 11 lentes, da mesma forma que fazem as dez dimensões de inovação da Doblin.

Pelo conceito do Radar, empresas como Starbuck's e as megastores de livros como a Barnes and Noble norte-americana, a Livraria Saraiva e a Livraria Cultura no Brasil são destaques na inovação da experiência do consumidor. O Habib's popularizou a comida árabe e tornou-se uma vitoriosa rede de alimentação, inovando não em suas esfirras e seus quibes, mas ao encontrar novos consumidores enquanto adequava processos e operações de supply-chain; o Google inovou em muitas dimensões, entre elas, na forma de capturar valor quando decidiu cobrar pelos cliques realizados e não por impressões; o Subway tornou-se recentemente a maior rede de fast-food do mundo com seu portfólio de sanduíches montados à vista do cliente, a partir de elementos comuns (alguns tipos de pão e uma dúzia de ingredientes); a Promon é conhecida por formas inovadoras de estruturar suas atividades.

Figura 3.3 Radar da Inovação

Fonte: Sahwney et al (2006).

3M: Inovando além de produtos

Na 3M, ainda que tenhamos uma fortaleza incontestável na inovação de produtos, também nos organizamos estrategicamente para outras direções.

Na dimensão de marca, Post-it® tem inovado bastante, com comunicação on-line e eventos off-line inusitados. Na América Latina, lançamos uma nova linha de blocos adesivos com desfiles de moda, nos quais as modelos vestiam roupas feitas totalmente com o produto. Em 2010-2011, a parceria com a Galeria Melissa na rua Oscar Freire em São Paulo fez grande sucesso – as paredes internas da galeria foram revestidas com milhares de folhas coloridas de Post-it® que eram renovadas periodicamente. Durante a ação, os visitantes podiam escrever mensagens nos próprios papéis adesivos do cenário.

A Marca Scotch® também inovou recentemente com um grande concurso cultural de esculturas feitas apenas com fitas transparentes da 3M em países como México e Estados Unidos. No Brasil, os vencedores expuseram suas obras no Museu Brasileiro de Esculturas, o Mube, em São Paulo.

Inovando em canal, também lançamos nosso e-commerce em diversos países. Aqui, selecionamos alguns produtos para serem vendidos pelo site www.loja3m.com.br, como estetoscópios Littmann™, filtros de água Aqualar® e microprojetores 3M. Também exploramos vendas por catálogo com algumas empresas e iniciamos trabalho em certos canais como lojas de ferragens.

Em uma organização, desenvolvemos novas estruturas focadas em segmentos de mercado para melhor entendê-los e servi-los, como Mineração e Petróleo. Estabelecemos alguns market centers que há anos atendem mercados estratégicos, como Construção e Indústria Automotiva com foco especial.

Na área de serviços, um de nossos melhores exemplos é a comunicação visual, área na qual a 3M é líder de mercado nas linhas de lonas e películas adesivas para impressão.

Nossos produtos são utilizados para construção de back-lights, banners, fachadas de prédios comerciais, sinalização de eventos, "envelopamento" de frotas, entre outras aplicações.

Em nosso modelo de negócios central para esse mercado, a 3M

vende seus produtos para um convertedor especializado, que imprime as imagens e a marca do cliente final e se responsabiliza pelo corte e aplicação do material.

No entanto, em certas situações, alguns clientes podem enfrentar dificuldades que trazem oportunidades de negócio a um inovador atento. Imagine uma empresa que precise renovar sua identidade visual em muitos pontos espalhados pelo Brasil. Talvez ela tenha de investir enorme esforço para gerenciar a operação, lidando diretamente com dezenas de pequenos fornecedores em cada região, a um alto custo e longo tempo.

A 3M do Brasil inovou seu modelo de negócios, oferecendo também módulos de serviço, além da comercialização de produtos e assistência técnica. Nas dimensões dos estudiosos da Kellogg, além de produtos, nesse caso inovamos nos eixos de relacionamento, soluções, processos e captura de valor.

Para ilustrar essa guinada estratégica, em 2010 trabalhamos com o Banco Santander para gerenciar a migração da marca Banco Real em centenas de agências em todo o país. Para isso, criamos uma estrutura interna e uma gestão que administraram de forma centralizada toda a operação, desde a qualificação de prestadores de serviço até a realização de reparos prévios de construção civil, a instalação dos materiais de comunicação visual e auditoria das atividades, tudo em forte sintonia com o time de coordenação do cliente.

Inovação sustentável

Nestes novos tempos, a sustentabilidade também se coloca como um importante motor da inovação. Muitos executivos ainda veem as pressões para que sejam feitas operações sustentáveis e as oportunidades para produtos com vantagens ambientais com certa cautela. Há ainda muitos paradigmas que colocam diversas barreiras a esse movimento por produtos e processos sustentáveis, desde a insegurança com a verdadeira preferência e escolha por esses produtos pelos clientes, até os custos para modificar os processos de manufatura; ou ainda a dificuldade em controlar a cadeia de fornecimento dessas mercadorias de sua origem ao descarte final pelos usuários.

De qualquer forma, a sustentabilidade é inevitavelmente uma das mais importantes megatendências deste início de século XXI e tem oferecido terreno fértil para inovações de empresas pioneiras.

Inovação para uma cadeia de valor mais sustentável

Um dos principais vetores de projetos inovadores nesse universo é a busca por uma cadeia de valor mais sustentável.

Nessa etapa, as empresas dispõem de um grande horizonte para inovar na redução do consumo de recursos renováveis, como água e madeira, e não renováveis, como petróleo e gás natural.

Muito antes do tema ganhar tamanha evidência, a 3M já inovava também nesse front. Em 1975, a companhia lançou o programa Prevenção da Poluição se Paga, o chamado 3P, focado em projetos de ecoeficiência. Nossa filosofia já incorporava a ideia de que prevenir a poluição era positivo para o meio ambiente e para as pessoas e de que trazia resultados econômicos importantes para a empresa. Em 1976, a ONU convidou a 3M para divulgar seu programa pioneiro, cujo escopo englobava projetos de reformulação de produtos, modificações de processos, reciclagem e reutilização de perdas e redesenho de equipamentos.

Hoje, temos registrados mais de 8 mil projetos inovadores globalmente que preveniram mais de 1,3 milhão de toneladas de poluição e economizaram mais de US$ 1,4 bilhão (apenas o primeiro ano de cada projeto contabiliza resultados).

Fabricantes, fornecedores e varejistas também podem trabalhar juntos para criar operações mais sustentáveis.

O Walmart recentemente desenvolveu algumas iniciativas relevantes neste campo com seu Pacto pela Sustentabilidade e um projeto chamado Sustentabilidade de Ponta a Ponta, do qual também participamos. De um lado, empresas desenvolveram produtos com diferenciais ambientais; do outro, o varejista estimulou esse grupo de fornecedores e garantiu acesso destacado desses itens aos consumidores, estabelecendo uma parceria muito positiva no tema. Para citar algumas inovações que se destacaram nesta união, a P&G introduziu a fralda Pampers® Total Confort, com maior capacidade de absorção e menor quantidade de celulose, permitindo maior compactação das unidades do pacote, reduzindo material de embalagem e economizando transporte; a Leão lançou um chá mate orgânico certificado, produzido a partir de uma nova fábrica "verde" e usando embalagem com material reciclado e menor quantidade de tinta na impressão; o Toddy® orgânico demandou um grande estudo na cadeia de valor por parte da Pepsico, enquanto a 3M trouxe para o projeto a esponja de banho Ponjita[MR] Naturals, combinando fibras de curauá da Amazônia e fibras recicladas.

Empresas como Cargill, Unilever, Nestlé e Natura investem há anos no desenvolvimento de tecnologias e no trabalho com produtores rurais, obtendo maior produtividade e qualidade em todo o processo.

O Grupo Pão de Açúcar tem ações inovadoras e admiráveis nessa área. Seu programa Qualidade desde a Origem, implantado em 2008, busca garantir a alta qualidade de produtos, requerendo auditorias no campo por especialistas qualificados, que também repassam aos fornecedores orientações e avaliações relacionadas ao manejo adequado de defensivos agrícolas e conformidade nos padrões microbiológicos, entre outros. Consumidores têm ainda a possibilidade de conhecer, pela internet, a origem dos produtos que consomem, propiciando enorme transparência e confiabilidade na compra de hortifrútis, além de oferecer a rastreabilidade da origem e do processo de produção da carne bovina. Em 2001, Pão de Açúcar e Unilever estabeleceram parceria para criar as Estações de Reciclagem, referência do setor e mais antigo programa de reciclagem do varejo no país. As mais de cem estações já recolheram 32 mil toneladas de recicláveis. O Caixa Verde é um inédito programa de reciclagem pré-consumo, desenvolvido em parceria com o Centro Universitário Positivo do Paraná, que permite que seus clientes descartem suas embalagens plásticas ou de papel, como caixas de pastas de dente ou de cereais, em urnas especiais no momento da compra no caixa. Todo material arrecadado é encaminhado para cooperativas de reciclagem.

Inovação em produtos e serviços sustentáveis

Outra possibilidade é a criação de produtos e serviços sustentáveis, ou ainda a reformulação da linha já existente para gerar menor impacto ao meio ambiente.

Um case interessante sobre isso é o do desenvolvimento do sabão em pó para água fria Tide®, da Procter & Gamble, em 2005. Cientes de que até 3% da eletricidade consumida anualmente pelas residências norte-americanas eram usados para aquecer a água na lavagem de roupas, a empresa lançou um produto para água fria, o Tide® Coldwater, nos Estados Unidos, e o Ariel® Cool Clean, na Europa.

No Brasil, recentemente observamos o lançamento pela Braskem do "plástico verde" – o polietileno derivado da cana-de-açúcar –, utilizado nas peças do tradicional jogo Banco Imobiliário da Brinquedos Estrela, nas embalagens da indústria de cosméticos Shiseido e também em produtos da P&G, com direito a anúncios co-branded (Braskem e P&G) para celebrar a inovação.

Equipamentos eletroeletrônicos mais eficientes no consumo energético, produtos que reduzem embalagens e oferecem opções de refis, o retorno das embalagens retornáveis de vidro, as crescentes linhas de produtos orgânicos, a maior inclusão de ingredientes naturais, as confecções a partir de materiais reciclados são algumas das inovações concebidas pelas empresas com esse direcionamento. Essas ações exigem competência para entender as necessidades dos clientes, adequar fornecimento de matérias-primas e gerenciar todo o ciclo de vida dos produtos.

A 3M tem um portfólio com mais de 400 famílias de produtos que oferecem vantagens ambientais. Muitas dessas inovações contribuem para que nossos clientes atinjam seus objetivos de sustentabilidade. As películas para vidros (3M Window Film), derivadas das plataformas tecnológicas de nanotecnologia e filmes, são aplicadas nas janelas de construções (prédios, shoppings, hotéis etc.), quase bloqueando os raios ultravioleta e infravermelho. Além de proporcionar conforto térmico e controle da luminosidade, o produto reduz sensivelmente os custos de energia com ar-condicionado. Os fluidos Novec da 3M costumam chamar a atenção em algumas demonstrações. Ao mergulhar um celular no líquido incolor, o aparelho ainda recebe chamadas, mesmo submerso e, ao ser retirado e seco, continua a funcionar normalmente. Sua grande aplicação se dá em sistemas de combate a incêndio em ambientes especiais (como centros de processamento de dados). Nesses casos, as alternativas comuns têm limitações de uso. Além disso, o fluido 3M oferece a vantagem de pouco contribuir para o aquecimento global. As soluções para limpeza de ambientes empresariais 3M Limpeza Fácil, por meio de formulação concentrada, reduzem o uso de produtos químicos em até 80%, desperdiçando menos água e proporcionando melhores condições de trabalho para os profissionais envolvidos. Estas são apenas algumas das inovações que projetamos com foco em sustentabilidade.

Novos modelos de negócio

Vale destacar a grande oportunidade para criação de novos modelos de negócio. Recentemente, assisti a uma apresentação fascinante em evento de inovação da divisão de mercados de capitais do Banco Itaú, na qual foi compartilhado um novo modelo de microcrédito a empreendedores de regiões carentes como a Vila Cruzeiro e Jacarezinho na cidade do Rio de Janeiro. Inspirado na iniciativa do Grameen Bank, fundado pelo professor Muhammad Yunus em 1976 em Bangladesh, o modelo do Itaú conta com diversos agentes de microcrédito que dão acesso a financiamentos para pequenos negócios nas comunidades. As fotos de estabelecimentos comerciais com as fases "antes e depois" do relacionamento com o banco e as histórias de sucesso relatadas são comoventes e tremendamente inspiradoras.

Essa inovação que se ampara na mais destacada função social dos produtos e serviços criados pela empresa tem um efeito muito além dos resultados econômicos, exercendo um poder incomparável de engajar e entusiasmar grande contingente de funcionários, os quais veem nesses projetos razões adicionais para o comprometimento com a organização, sem mencionar o reforço positivo da reputação corporativa na sociedade.

Outro exemplo nesse sentido é o modelo de microdistribuidores que a Nestlé utiliza há alguns anos para áreas de baixa renda. A Nestlé havia identificado que consumidores de menor poder aquisitivo também valorizavam marcas e buscavam produtos de maior qualidade como o leite Ninho® e Nescau®. Assim, foram recrutadas representantes das próprias comunidades para o papel de revendedoras, que distribuem os produtos usando carrinhos similares aos celebrizados nos anos 1970 pelas vendedoras de Yakult. Novamente, coloca-se em prática um sistema assentado na confiança entre consumidores e revendedores, os quais conhecem as preferências e restrições financeiras de seus clientes, e assim podem ofertar condições especiais de pagamento, kits de produtos e brindes, definindo um novo canal para penetração de produtos.

Outro caso conhecido é da joint venture entre o já citado Grameen

Bank e a Danone, estabelecida a partir de 2005 para disponibilizar produtos nutritivos a preços razoáveis para a população rural de Bangladesh. Mais da metade das crianças com menos de 5 anos sofria de desnutrição e poderia se beneficiar dos iogurtes produzidos com baixo custo. Como no caso do microcrédito do Itaú e dos microdistribuidores da Nestlé, a atividade da Danone contribuía para gerar renda para a população.

Muitas empresas nasceram com esse espírito social e o desejo de progredir economicamente. O farmacêutico Henri Nestlé desenvolveu a farinha láctea para combater a desnutrição infantil na Suíça, ainda no século XIX. Na 3M, muitos produtos são criados para saúde, segurança e proteção dos trabalhadores. Hoje, com países emergentes em crescimento e grandes parcelas da população ascendendo na pirâmide social, há uma significativa e bem-vinda oportunidade para que intraempreendedores sociais lancem projetos inovadores com potencial de inclusão e transformação das populações e crescimento dos negócios. Foi com esse sentimento que criamos em 2006 o Instituto 3M de Inovação Social, para promover tecnologias sociais com potencial para transformar positivamente a sociedade com projetos em saúde, educação e meio ambiente.

Inovando para criação de plataformas futuras

Por fim, organizações inovadoras pensam em criar plataformas futuras para uma sociedade mais sustentável.

Empresas como IBM vêm investindo fortemente na relação entre a tecnologia digital e a gestão energética, contribuindo para o desenvolvimento de redes inteligentes (smart grids) que administrem a geração, transmissão e distribuição de energia de todas as fontes com as demandas, reduzindo custos, racionalizando sistemas e otimizando o consumo.

Há anos a GE lançou a estratégia de negócios EcoImagination, voltada para desenvolver tecnologias limpas, produtos mais eficientes energeticamente e soluções para enfrentar desafios ambientais do futuro.

Observando tantas possibilidades relacionadas diretamente à sustentabilidade, o momento é bastante oportuno para identificar como sua empresa deve considerar o tema na pauta da inovação.

Espera-se que as empresas com maior sucesso nessa estratégia sejam aquelas de conduta ética, que no cotidiano se pautem por incluir em seus valores o respeito às pessoas, aos funcionários, clientes, às comunidades e ao meio ambiente. Quem tem essa filosofia enraizada já andou metade do caminho para buscar inovações em seus processos e produtos sustentáveis.

Vale a pena ler

CHESBROUGH, Henry William. *Open innovation:* the new imperative for creating and profiting from technology. Cambridge: Harvard Business School, 2006.

MAUBORGNE, Renée; KIM, W. Chan. *A estratégia do oceano azul:* como criar novos mercados e tornar a concorrência irrelevante. 20. ed. Rio de Janeiro: Campus, 2005.

JOHNSON, Mark W. *Seizing the white space, business model innovation for growth and renewal.* Massachusetts: Harvard Business School Press, 2010.

PORTER, Michael. "O que é estratégia?" *In: Competição estratégias competitivas essenciais.* Rio de Janeiro: Campus, 1999.DOM. Revista da Fundação Dom Cabral, mar./jun. 2010.

NIDUMOLU, R. PRAHALAD, C.K.; RANGASWAMI, M.R. *Por que a sustentabilidade é hoje o maior motor da inovação.* Newsletter Harvard Business Review Brasil. Disponível em: <http://www.hbrbr.com.br>.

Mãos à obra: Perguntas para reflexão e ação

Em quais dimensões sua empresa mais inova?

Sua organização utiliza alguma ferramenta de análise estratégica para inovar?

Pense em sua atividade e identifique oportunidades de diferenciação na cadeia de valor.

Busque inovar seu negócio por meio do modelo de quatro ações para criar uma nova curva de valor.

Faça um mapeamento de suas inovações, utilizando o radar da inovação ou o diagrama das dez dimensões. Analise os resultados e identifique oportunidades para inovar.

Quais são os possíveis mercados adjacentes que sua empresa pode explorar?

Quais oportunidades em "espaços brancos" você visualiza para ocupar na sua atividade?

Sua empresa utiliza a sustentabilidade como motor da inovação? Quais projetos nasceram com esse direcionamento?

Como sua organização pode alavancar a função social de seus produtos e serviços?

Case
Pão de Açúcar

Hugo Bethlem, vice-presidente executivo do Grupo Pão de Açúcar

Inovação é prioridade para o Grupo Pão de Açúcar. Ela permeia todas as nossas atividades, nossos processos e departamentos, e é estratégia fundamental para os resultados de nossa empresa. Temos uma interpretação muito particular do papel da inovação. Para nossa organização, o inovar está totalmente relacionado à manifestação dos cinco sentidos.

O sentido da audição nos lembra que precisamos ouvir permanentemente nossos clientes, funcionários, fornecedores e comunidades. Ouvir se faz com humildade e interesse em evoluir e fazer sempre melhor, além de investimentos significativos em pesquisas para entendermos a evolução das expectativas e necessidades de nossos clientes. Entre as ações realizadas pelo Grupo focadas em entender nossos clientes e o mercado, temos uma forte estrutura de inteligência competitiva e de pesquisa que, apenas em 2009, efetivou mais de 300 mil entrevistas com consumidores. Nosso "Programa Mais", além de importante instrumento de fidelização, é também ferramenta para informações substanciais sobre os hábitos de nossos clientes desde 2000. A "Casa do Cliente", canal interativo de relacionamento, recebe mais de 700 mil manifestações por ano.

A visão se associa diretamente à observação atenta dos mercados, interpretação das tendências mundiais, evolução das tecnologias e sua aplicação na vida das pessoas. Para construir essa visão estratégica, nossos profissionais participam de palestras e ciclos de debates, de viagens organizadas para explorar o ambiente de varejo em outros países e de workshops promovidos por consultorias que trazem o "olhar externo" para dentro da empresa, com análise das tendências do setor e a antecipação de cenários futuros. Em contrapartida, quando avaliamos tendências e inovações em outros países, precisamos considerar que cada local tem suas particularidades.

O olfato nos permite sentir, à distância, antes mesmo de testar um conceito, se a ideia tem chances de sucesso. Assim, a sensibilidade, o treinamento e a prática dos sentidos nos permitem compreender a transformação da sociedade e a adequação dos nossos modelos. Foi assim que no passado detectamos a necessidade de transformar as lojas Barateiro em um conceito mais afinado com as aspirações de nossos clientes, representado então pela bandeira CompreBem. Trocamos a proposta de preço baixo para uma mais ampla que também valorizava a loja e as marcas, prometendo uma experiência mais positiva de compra. Porém, temos muito claro que o ato de inovar é contínuo. Assim, o conceito "Compre Bem" já evoluiu outra vez para o modelo "Extra Super", combinando as vantagens do supermercado e do hipermercado, pois os clientes da classe média também evoluíram em seus hábitos de compra.

O tato, por sua vez, aponta que nossos líderes precisam cultivar uma visão sistêmica na medida em que também arregaçam as mangas, colocando o dedo nos problemas e oportunidades. Conseguimos isso ao visitar as lojas, interagir com os clientes e estabelecer canais eficientes de comunicação.

Uma crença sólida na cultura do Grupo Pão de Açúcar defende que 99% das ideias nascem nas lojas. Compreender as necessidades do consumidor nos leva a inovações por todo o negócio: nos itens que oferecemos, na escolha de fornecedores, nos processos internos e no layout das lojas. Nos últimos anos, promovemos algumas mudanças, como a ampliação do espaço para perecíveis, a oferta de produtos orgânicos, o crescimento do açougue, a expansão do segmento de pratos prontos, a variedade da padaria, entre tantas inovações, sempre em linha com as tendências e mudanças de comportamento de nosso consumidor.

O paladar indica que, em nossos processos, toda inovação precisa ser testada, passando por uma fase de "degustação" que nos sinaliza a respeito de sua aceitação. Para inovar, sempre usamos processos estruturados, com pesquisas, validações e testes-piloto.

Entretanto, é absolutamente necessário considerar o sexto sentido, representado pela paixão do varejista, a energia criativa dos funcionários em fazer a diferença, superar limites e encantar nossos clientes. Não evoluiríamos muito se nos resignássemos a oferecer apenas o que o consumidor nos pede. Precisamos ir além, lançar tendências e estar sempre à frente.

No campo da sustentabilidade, por exemplo, empreendemos uma série de iniciativas pioneiras há duas décadas, alinhados com os nossos valores e a crescente conscientização da população. Iniciamos boas ideias como o projeto de promover a música e o ensino profissionalizante de perecíveis, com o Núcleo Avançado em Tecnologia de Alimentos (NATA), iniciativas de consumo consciente, como é o caso das embalagens retornáveis, a eliminação das sacolas plásticas da frente de caixa e a implantação de estações de reciclagens nas lojas, bem como campanhas de arrecadação de donativos, entre outras.

A partir daí, vieram as "lojas verdes", com concepção construtiva sustentável. A primeira nasceu em Indaiatuba em 2008. Hoje, são mais de 30 lojas com premissas sustentáveis, além do Centro de Distribuição "verde" erguido em Brasília em 2010. De forma geral, nossas lojas estimulam enfaticamente a relação com pequenos produtores, os produtos orgânicos e o uso racional de água e energia. Em 2006, fomos os primeiros a lançar uma marca própria, a Taeq, com foco no bem-estar.

Na área de tecnologia, são muitos projetos que ajudam a facilitar a experiência de compra. Lançado em 1995, o Pão de Açúcar Delivery foi o primeiro supermercado eletrônico do Brasil, e desde então vem se aperfeiçoando, inclusive com novas ferramentas como o sistema mobile e aplicativos para iPhone. Em São Paulo, desenvolvemos o projeto-piloto do Personal Shop a fim de permitir que os clientes consultem os preços dos produtos por meio da leitura eletrônica do código de barras, assim não há a necessidade de passá-los pelos caixas, solicitando apenas a entrega em domicílio. Uma inovação que elimina várias etapas no processo de compra.

Como se nota, o Grupo Pão de Açúcar incorpora a inovação em todas as suas dimensões, sempre atento aos sentidos. Para nós, não existe "certo" e "errado". Podemos errar, mas queremos fazer.

Em nossa empresa, inovação faz parte do negócio; ela tem foco nas pessoas e está plenamente alinhada com os nossos valores: humildade para aprender, determinação para fazer acontecer, disciplina para executar e equilíbrio Emocional para ser feliz.

Por isso, no Grupo Pão de Açúcar, costumamos resumir que inovar, por meio dos sentidos, faz muito sentido.

Capítulo 4

Liderança, o principal ingrediente da empresa inovadora

"Nós continuamos seguindo em frente, abrindo novas portas e fazendo coisas novas, porque somos curiosos... e a curiosidade continua nos conduzindo por novos caminhos."
Walt Disney, produtor de cinema

Em qualquer empresa, o mais importante na construção de um sistema de inovação é a atuação de sua liderança. Em primeiro lugar, é a visão da alta liderança que definirá se a organização como um todo percorrerá os trilhos da inovação.

É o presidente, CEO, diretor-superintendente, diretor-geral ou qualquer denominação que tenha o principal cargo diretivo que pode de fato transformar a organização. Essa definição estratégica é um processo top-down. É o executivo número 1, apoiado por sua equipe, que tem o mandato e a responsabilidade de definir as metas, prioridades, os investimentos e as formas de buscar os objetivos de crescimento da organização.

Se esse dirigente não estabelece a inovação como prioridade, não obtém o apoio interno necessário à transformação, não define metas relacionadas a esse objetivo, não estimula nem cobra resultados de inovação de sua equipe, não investe em projetos inovadores de laboratório, marketing, manufatura ou de qualquer outra área, é claro que não teremos como resultado uma empresa inovadora.

Em alguns casos, os fundadores do negócio são grandes inovadores que injetaram seus valores no DNA da organização. Esses pioneiros implantam a cultura da companhia, moldam a personalidade da empresa e deixam de herança seus propósitos e valores.

O que dizer de uma empresa que pôde contar com um dos maiores inovadores da história, o próprio Thomas Edison, entre seus fundadores e a quem é atribuído mais de mil patentes? Edison era um verdadeiro gênio criativo que buscava obstinadamente implementar comercialmente suas numerosas ideias. Sua primeira invenção foi uma máquina de votação que não fez sucesso algum na época. Depois, elaborou um teletipo para registro automático das cotações de ação na Bolsa que lhe rendeu bom dinheiro. (No capítulo anterior, já narramos resumidamente a trajetória do grande inventor até a fundação da GE.)

É certo que o espírito de inovação da GE foi construído a partir da visão inventiva de Edison, de seus colaboradores e de outros grandes líderes como Charles Coffin e Edwin Rice Jr. Coffin foi o primeiro presidente e chairman da companhia. Adotou um estilo de liderança baseado no respeito e na abertura às sugestões de seus associados, termo que ele preferia a subordinados. Com esses primeiros líderes, consolidou-se, antes de outras tantas organizações, um estilo de negócios baseado no desenvolvimento tecnológico como diferencial competitivo, um novo processo que se distanciaria das técnicas empíricas dos tempos de Edison e Thomson. Abraçaria a ciência moderna, gerando uma torrente de inovações que modificaram a vida das pessoas em todo o mundo – como o silicone, as lâmpadas fluorescentes, os primeiros refrigeradores hermeticamente fechados e geladeiras de duas portas, a lavadora de louças portátil e as torradeiras elétricas.

Em 1891, a Philips foi criada em Eindhoven, Holanda, por um habilidoso engenheiro mecânico que começou a fabricar lâmpadas elétricas de filamento de carbono. Dois anos depois, Gerard Philips criou uma parceria bastante positiva quando se uniu ao irmão Anton, negociante talentoso e carismático. Pressionados por concorrentes muito fortes em desenvolvimento tecnológico, como a GE e a Siemens, os líderes da Philips definiram ainda em 1914 que a área de pesquisa seria prioritária para o desenvolvimento dos negócios. De seus laboratórios, foram geradas e aperfeiçoadas ao longo do tempo tecnologias revolucionárias, como os equipamentos de raio x na medicina, os aparelhos de ultrassom e ressonância magnética, os populares rádios, a própria televisão, os aparelhos de barbear, as fitas cassete, o CD, o DVD (em cooperação com a Sony) e o Blu-Ray Disc, entre outros.

Na Philips, a inovação esteve presente desde o início de suas atividades e se tornou parte formal da estratégia da empresa pelo menos desde sua terceira década.

A Virgin também é um exemplo obrigatório e mais contemporâneo de cultura inovadora. É liderada por sir Richard Branson, um empreendedor obsessivo que, no início dos anos 1970, montou uma loja de discos na Inglaterra e, logo depois, criou a célebre gravadora Virgin Records, em 1972. Com cerca de quatro décadas de estrada, o grupo Virgin participa de algumas centenas de empreendimentos, como a empresa aérea Virgin Atlantic; as academias de ginástica Virgin Active; os serviços financeiros Virgin Money; os refrigerantes de cola Virgin Drinks; a telefonia móvel Virgin Mobile e até uma iniciativa futurista de levar passageiros a viagens espaciais, a Virgin Galactic, mantendo sempre um ambiente de autonomia e informalidade, com o espírito apaixonado pela novidade, a diversificação e a tomada de riscos de seu fundador.

No Brasil, a Natura é um ícone da inovação e da sustentabilidade em negócios, liderada por três executivos diferenciados. Luiz Seabra, Guilherme Leal e Pedro Passos iniciaram seu empreendimento a partir de uma pequena loja de cosméticos aberta em 1969 na rua Oscar Freire em São Paulo. Em 1974, implementaram com muito sucesso o modelo de vendas diretas traduzido na forma de um contingente de Consultoras que hoje ultrapassa o número de 1 milhão.

A liderança dos fundadores teve influência muito grande para estabelecer a inovação como componente relevante dos direcionadores de cultura da empresa. Cada um dos três fundadores sempre enfatizou a importância da inovação para o sucesso e desenvolvimento do negócio, abordando o tema interna e externamente sob diferentes ângulos: inovação em produtos e serviços, em processos, no negócio, no canal de vendas e no uso sustentável da sociobiodiversidade.

O pioneirismo da Natura se materializa em muitas ações ao longo de sua história de mais de quatro décadas, inclusive na visão do papel importante que os cosméticos desempenhariam para as pessoas se conhecerem melhor e buscarem bem-estar. Foi a primeira empresa a produzir itens com refil em 1983; priorizou a biodiversidade brasileira e um novo modelo de produção ao lançar a linha Natura EKOS em 2000, tornou-se uma das principais referências em inovação aberta no país, entre diversos exemplos de atitude de vanguarda na indústria nacional.

Empresas como estas carregam no seu código genético a inovação de seus fundadores, líderes criativos, inventivos, visionários. Com eventuais exceções, tomavam atitudes e decisões que inspiravam seus colaboradores, incentivando a consolidação de um ambiente favorável à inovação, no qual investimentos em Pesquisa & Desenvolvimento eram priorizados e se construíam estruturas com competências importantes para todas as etapas da gestão de projetos inovadores; além de cultivarem um gosto especial pelo risco, pela experimentação e pela diversificação das atividades, sem nunca esquecer dos resultados.

Décadas depois, essas empresas ainda respiram os valores de sua fundação, aperfeiçoando permanentemente seu sistema de inovação e obtendo êxito ao transpor os inevitáveis obstáculos que periodicamente desafiam sua rota de estabilidade e crescimento.

E as empresas que não tiveram fundadores inovadores?

Como acabamos de ver, faz sentido que uma empresa cresça com foco em inovação se seus fundadores são empreendedores excepcionais. O que esperar então de uma empresa que não recebeu o gene da inovação em sua origem? É possível transformá-la numa organização inovadora?

Vejamos o próprio exemplo da 3M, uma empresa criada com o melhor espírito capitalista norte-americano, quando cinco empreendedores uniram-se em sociedade no início do século XX para montar uma companhia com o propósito de extrair e comercializar minérios. Daí a explicação para seu nome, uma abreviação de Mineração e Manufatura de Minnesota.

Entre os cinco empreendedores, não havia nenhum inventor ou cientista com projetos mirabolantes ou patentes promissoras. Eles eram homens comuns que tinham suas atividades profissionais bem estabelecidas na região do Meio-Oeste norte-americano. No grupo de fundadores, um médico, um açougueiro, um advogado e dois executivos ligados à indústria de ferrovias identificaram uma oportunidade de ganhar dinheiro vendendo um mineral denominado corundum para a indústria de abrasivos. Assim, adquiriram uma área de exploração em Minnesota e constituíram a empresa.

Entretanto, esses homens não tiveram sucesso em tirar pedidos de seus clientes potenciais e, posteriormente, provou-se que o minério extraído de sua propriedade apresentava baixíssimo valor econômico e não tinha aplicação para a indústria. Seu destino poderia se constituir em mais uma dessas empresas que aumentam as estatísticas anuais divulgadas pelo Sebrae sobre os empreendimentos que não sobrevivem mais do que três anos.

No entanto, a companhia persistiu e, diante das dificuldades iniciais, abandonou a produção de minério e passou a fabricar lixas. Seu futuro como gigante da inovação e uma das empresas de tecnologia mais diversificadas do mundo não foi obra de seus fundadores, mas resultado da filosofia gerencial de alguns de seus líderes. O mais importante deles, William McKnight, foi contratado pela área de contabilidade da companhia em 1907 e – sempre com muita iniciativa, imaginação para quebrar paradigmas e extremo comprometimento – assumiu responsabilidades crescentes na empresa. Em 1929, tornou-se presidente da 3M, e em 1966 aposentou-se como presidente do Conselho de Administração.

Entre 1902 e meados dos anos 1920, a empresa ainda não estava vinculada à inovação. Foi McKnight quem desempenhou o papel de grande mentor da inovação 3M. Sua filosofia de gestão encorajou a iniciativa e autonomia dos funcionários, abraçou a cultura de tolerância a erros, estimulou o intraempreendedorismo e incentivou a tomada de riscos que ele pregava desde os anos 1910, numa época em que as indústrias seguiam majoritariamente os princípios do taylorismo. Essa liderança da companhia, surgida pós-fundadores, desenvolveu a cultura de inovação da companhia que tanto influenciou as organizações e a gestão da inovação no mundo todo. Em 1948, McKnight sistematizou seus pensamentos e suas práticas aplicadas ao longo de mais de 30 anos e logrou erguer uma arquitetura potente de colaboração, criatividade e visão estratégica que mantém a companhia como referência em inovação mais de um século de vida depois.

A partir dos anos 2000, a Whirlpool, detentora de marcas muito conhecidas dos brasileiros como Brastemp e Consul, também vem se destacando no cenário da inovação, inspirando estudos de caso, livros e artigos em periódicos que abordam a sua transformação iniciada em 1998. Nascida em 1911 no estado do Michigan, nos Estados Unidos – quando os irmãos Fred e Louis e o primo Emory lançaram uma máquina de lavar roupas com motor elétrico de condução, fundando a Upton Machine Company –, a empresa nunca teve a inovação como principal estratégia, concentrando sua atenção principalmente na excelência operacional de seus processos.

David Whitwam ocupou a função de CEO da Whirlpool por 17 anos, de 1987 a 2004, e provocou uma tremenda revolução na companhia, reforçada ainda mais por seu sucessor Jeff Fettig. A história que o alto executivo relata sobre a dificuldade em identificar os produtos de sua empresa, misturados aos dos concorrentes em um grande varejista norte-americano, é clássica. Inserido naquilo que ele chamaria de "imenso mar branco", tudo parecia a mesma coisa. No Brasil, como todos sabem, lavadoras, geladeiras, secadoras, freezers e outros eletrodomésticos que equipam cozinhas e lavanderias são classificados historicamente em uma categoria do varejo chamada "linha branca".

A partir daí, o CEO da Whirlpool tomou uma série de iniciativas para transformar um grupo então com mais de 75 anos em uma organização voltada para a inovação. Criou cargos e estruturas, estabeleceu metas e investimentos, contratou consultoria especializada, adotou metodologias e processos de gestão, entre muitas ações que revolucionaram a companhia. Hoje, a "linha branca" é uma fronteira explorada de forma muito criativa pelos designers da empresa: eletrodomésticos das mais diversas cores e de tamanhos diferentes, que exibem desde o estilo futurista ao retrô; novas categorias de produtos, que incluem minilavadora de roupas, aspiradores, adegas climatizadas, purificadores de água, coifas e até aparelhos de ar-condicionado que combinam iluminação com aromas; novas geladeiras que invertem a posição do freezer ou que avisam a hora de fazer mais gelo são algumas das inovações da empresa que vêm agregando valor e diferenciando seus produtos no mercado.

"Computadores são ferramentas magníficas para a realização de nossos sonhos, mas nenhuma máquina pode substituir a faísca do espírito humano, compaixão, amor e compreensão."
Louis Gerstner, ex-chairman da IBM

O desafio constante da liderança

Os principais líderes das organizações têm um desafio permanente. Claro que o sucesso do passado não basta para vencer no futuro. Ter grandes inventores e pioneiros entre seus fundadores ou gestores geniais em algum momento da sua história pode inspirar funcionários, legar valores importantes, estabelecer processos positivos e ambientes adequados para a inovação. Entretanto, o cenário competitivo se modifica a todo instante e a sobrevivência das organizações exige transformações permanentes.

Nesse quadro, um caso interessante é o da IBM. Sua etapa inicial está ligada ao desenvolvimento de máquinas elétricas para soma e contagem de dados, representados por perfurações em fitas de papel, usadas no censo norte-americano de 1890. O inventor desse sistema foi Herman Hollerith, cujo sobrenome se tornou no Brasil substantivo para o demonstrativo de pagamento de salário. As fitas foram aperfeiçoadas para cartões perfurados quando Hollerith fundou em 1896 a Tabulating Machine Company, que se juntaria a outras duas empresas inovadoras em 1911, dando origem à CTR Co. – Computing Tabulating Recording Company.

Em 1914, o legendário Thomas J. Watson tornou-se presidente dessa organização, adotando princípios de gestão bastante inovadores. Mas foi em 1924 que a empresa adotou seu nome atual, IBM, abreviação de International Business Machines. Por um lado, é mais um exemplo de empresa que nasceu inovadora graças ao DNA de seus fundadores e primeiros líderes como Hollerith e Watson. Por outro, mesmo com esse passado inspirador, a IBM enfrentou enormes dificuldades em seus negócios na década de 1980.

Foi necessário outro grande líder, Louis Gerstner, com passagens de sucesso em empresas como a American Express e a RJR Nabisco, para evitar a fragmentação da IBM em diversas empresas e mantê-la como ícone mundial da economia e da inovação. Gerstner tornou-se chairman of the board da IBM em 1993 e liderou a reinvenção da companhia ao incluir em sua cultura de inovação a flexibilidade e o foco em eficiência operacional, direcionando-a para se tornar uma empresa líder global em serviço de informações. Atualmente, a IBM se mantém nos principais rankings como uma das marcas mais valiosas e empresas mais admiradas e inovadoras do mundo, e que mais investem em pesquisa e desenvolvimento.

"O negócio é ter uma boa equipe. Não acredito que o presidente tenha que fazer tudo. Prefiro que as pessoas pensem por elas mesmas."
Francisco Gonzáles Rodriguez, CEO do BBVA

Desenvolvendo as lideranças da companhia

Se a grande mudança começa e avança pelas mãos do principal executivo da companhia, é fato que ele não conseguirá êxito algum se estiver sozinho. Ainda que a história costume registrar e endeusar apenas os nomes de altos executivos, sabemos que há um grande trabalho de um batalhão de funcionários comprometidos e empreendedores que elaboram e executam os planos de suas empresas.

O sistema só funciona se as lideranças nos diversos níveis da organização também estiverem bem alinhadas e preparadas para trabalhar em favor dessa transformação e perpetuar o ambiente favorável para a inovação, além de processos bem estabelecidos para o desafio.

Vice-presidentes, membros da diretoria, gerentes, cargos de supervisão, encarregados, líderes de células de trabalho, todos precisam ser capacitados e conscientizados sobre a importância de seu papel, que tem enorme impacto nos resultados de inovação da organização. Esse desenvolvimento de liderança não é específico para a inovação, embora seja muito importante uma imersão específica no tema, em algum momento. Em resumo, é fundamental a preparação das lideranças para enfrentar todo o escopo de sua função, inclusive na sua contribuição para a inovação.

Emprestando a disseminada definição de James Hunter, autor do best-seller *O monge e o executivo*, liderança refere-se à habilidade de influenciar pessoas para trabalharem entusiasticamente, visando atingir os objetivos identificados como senso para o bem comum.

O professor e conferencista Eugênio Mussak acrescenta que liderança é uma questão de escolha (uma atitude de querer liderar e se preparar para a função); caracteriza-se por uma relação (nos grupos humanos, a liderança sempre está presente, entre líder e liderado, formal ou informalmente, compartilhada ou alternada); é uma técnica (é uma virtude em potencial que pode ser desenvolvida em atributos de visão, planejamento, relacionamento, execução...) e uma arte (que incorpora estilos pessoais).

Com isso em mente, vamos pensar agora nas diversas responsabilidades de um líder de determinado departamento sob a ótica predominante da inovação.

Esse líder contrata as pessoas que formam sua equipe. Se avaliarmos seus funcionários, conheceremos o perfil das pessoas e seu grau de diversidade de gênero, cultura, formação, entre outros aspectos, e saberemos se estamos diante de um time potencialmente inovador. Não estou falando se as pessoas são criativas, o que é uma face importante da moeda, e sim se há um balanço adequado entre mentes criativas e de pensamento divergente e mentes analíticas de pensamento convergente, com experiências e modos de pensar distintos.

Se formos convidados a passar o período de uma semana nesta unidade da organização, saberemos se ali se vivencia um ambiente de confiança e otimismo, se há liberdade de expressão de ideias e de contraposição de argumentos.

O líder tem o importante papel de estabelecer as metas, que devem ser alcançáveis, mas acima de tudo desafiadoras, pois alguma "pressão" pela busca da excelência e dos resultados extraordinários vai impulsionar a criatividade, a iniciativa, o senso de urgência e a cooperação de todos.

Líderes definem o escopo dos projetos de seus liderados. No primeiro momento, impactam a organização quando colocam as pessoas com perfil adequado nos projetos corretos, em que poderão explorar seus maiores potenciais e exercitar sua autonomia de acordo com o grau de complexidade de seu desafio. Ao longo do tempo, contribuem para o crescimento de sua equipe dando direcionamentos, fazendo as perguntas certas que levam à reflexão e novas descobertas, aplicando as técnicas de coaching e ainda pelo exemplo ("walk the talk", ou seja, agindo de acordo com o discurso).

Podem ter um valor ainda maior se ajudarem seus funcionários a desempenhar funções além da descrição do cargo, compartilhando uma visão inspiradora, comunicando uma "causa" pela qual a equipe trabalha e estimulando o empreendedorismo, em vez do comportamento passivo, promovendo uma atmosfera dinâmica e de aprendizado permanente, com troca de experiências entre todos.

Os líderes são as pessoas que devem estar abertas às sugestões de sua equipe, priorizando e defendendo as boas ideias na organização, alocando os recursos adequados e acompanhamentos necessários para que floresçam.

Por fim, o líder é quem avalia a performance de seus funcionários, valorizando as contribuições positivas, redirecionando atitudes e indicando programas de desenvolvimento, reconhecendo posturas e resultados, lutando pelo crescimento profissional de seus talentos.

Certamente, esse papel é mais um fator fundamental para construir um ambiente de inovação. Por tudo isso, reforçando a tese do início deste capítulo, as lideranças da organização são um fator-chave para a empresa inovadora.

A 3M dedica-se muito ao desenvolvimento e à capacitação de suas lideranças. A área de Recursos Humanos sempre desfrutou de um status de prioridade estratégica interna para o crescimento da companhia e globalmente concebe políticas e programas para o desenvolvimento dos funcionários.

Sob seu comando, sólidos programas de desenvolvimento gerencial são implementados em todas as subsidiárias. Um ótimo exemplo é a semana de treinamento "Desenvolvimento da Liderança para o Crescimento". O programa inclui sessões de treinamento com os principais executivos da companhia num ambiente de transparência extrema, compartilhando dificuldades, estratégias, erros e acertos em suas trajetórias na organização. Também traz apresentadores externos dos melhores cursos de gestão para abordar temas específicos. Ao final, os times de alunos são desafiados a apresentar uma solução a toda diretoria da companhia para alguns problemas reais selecionados pela organização, oferecendo-lhes 48 horas e diversos recursos para esboçar uma proposta inicial, mas consistente.

Outro programa de desenvolvimento gerencial muito efetivo é o Lean Six Sigma. Com a implantação da iniciativa na 3M desde 2001, a empresa montou um departamento que recruta talentos da companhia que abandonam suas funções normais por dois anos, dedicando-se exclusivamente à gestão de projetos diversos, em muitas áreas distintas, e conhecendo a metodologia Six Sigma. Após esse período, os profissionais assumem novos desafios na organização, com uma capacidade de liderança muito mais robusta, pois, mais do que se familiarizar com ferramentas estatísticas, desenvolvem uma visão de processo bastante consistente, ampliam relacionamentos profissionais, aumentam seu repertório ao enfrentar problemas de áreas desconhecidas e, por fim, dispõem de ótima oportunidade para expressar ideias e atitudes para os demais líderes da organização.

O programa de trainees, no qual comecei a carreira, primeiro na TAM e depois na 3M, é uma das estratégias consagradas por muitas empresas como Unilever, Nestlé e Ambev para preparação de futuros líderes. Naturalmente, as novas turmas de trainee da 3M, e provavelmente de outras companhias, são intensamente expostas logo cedo a conteúdos e metodologias de gestão de inovação e às expectativas da empresa nesta estratégia.

A GE talvez seja a maior referência em desenvolvimento de lideranças, contando com o lendário centro de treinamento de executivos em Crottonville, criado há mais de 50 anos próximo a cidade de Nova York. Para os cursos de Crottonville, são convidados os talentos identificados pela companhia, que se debruçam sobre estudos de casos e outros instrumentos de aprendizagem prática, convivendo com professores de alto nível, recrutados entre ex-executivos e prestigiados consultores, em uma estrutura de suporte admirável, e com exposição ao alto escalão da companhia.

Outra fortaleza da GE é o consolidado processo de avaliação rígida e constante de seus funcionários que permite preparar sucessores, estabelecer planos de desenvolvimento, identificar os maiores talentos e outras etapas vitais para o crescimento da companhia.

Em muitas empresas, há ainda outras ferramentas da área de RH que podem contribuir muito com o desenvolvimento das lideranças, como a pesquisa regular do clima organizacional, que proporciona uma visão clara das opiniões e dos sentimentos dos funcionários de cada departamento. Incluindo informações da percepção da atuação dos gestores em relação a um ambiente propício à inovação, como estímulo a mudanças e desafios, atitudes de incentivo ao risco, abertura a ideias, capacidade de priorização e reconhecimento, entre outros.

Não é mera coincidência que a 3M do Brasil tenha sido indicada pela Consultoria Hay Group como a segunda melhor empresa do país no desenvolvimento de líderes em 2010. Nem é surpresa que a GE também tenha conquistado posição privilegiada, com o primeiro lugar nesse importante ranking no mesmo ano.

Tanto a 3M como a GE têm a inovação muito presente nas suas estratégias. Ambas entendem que a capacitação das lideranças é ponto essencial para o sucesso de suas empresas. Apostam fortemente na avaliação de resultados, nos programas de desenvolvimento dos funcionários e retenção de talentos. Investem em estruturas diversificadas de negócio que dão oportunidades ao crescimento profissional globalmente e em diversos mercados. Assim, essas duas empresas centenárias vão ilustrando perfeitamente a configuração de um roteiro muito bem desenhado para estruturar o sistema da inovação em suas organizações. Analisaremos outros fatores nos próximos capítulos.

Seu papel como líder inovador

A transformação cultural para a inovação depende do principal líder da organização. Porém, se quisermos inovar e tivermos dúvidas de que os dirigentes da nossa empresa estão realmente empenhados em realizá-la e em implementar todos os esforços envolvidos no processo de mudança, o que podemos fazer?

A resposta é que há muito que fazer. Mesmo se concluirmos que nossa organização não se voltará como um todo para a inovação, não pretendendo mergulhar a fundo nestas águas, certamente podemos inovar em nossa área. Introduzir práticas diferentes que agreguem valor aos nossos clientes internos e externos, estimular o fluxo de conhecimento entre as pessoas de nossa equipe, implantar novos processos, estabelecer desafios para novos projetos e sugerir formas originais de reconhecimento que sensibilizem o grupo de trabalho são alternativas que podem ser testadas a qualquer hora. Nada disso depende do presidente, do CEO ou de qualquer alto dirigente.

Mesmo na 3M, há áreas e unidades de negócio que em determinado momento "estão" mais inovadoras que outras. Afinal, além da cultura da organização, tudo sempre depende de pessoas e de circunstâncias, que mudam de forma extremamente dinâmica. Recentemente, vimos na 3M do Brasil diversas áreas que inovaram bastante, agregando ainda mais valor para a companhia. E nada disso dependeu exclusivamente da ação de um presidente, de grandes somas de investimento ou de processos muito complexos. Foram líderes e suas equipes que transformaram seus departamentos, porque geraram uma visão inovadora para suas áreas e executaram seus planos com autonomia e engajamento.

Além de inovar em sua própria área de trabalho, muitas vezes é possível provocar a inovação em outras áreas de influência e interação, impactando um universo expandido. Com diplomacia, consistência, iniciativa e boas ideias, é possível desenvolver parcerias, receber convites ou mesmo criar oportunidades novas que tragam resultados significativos para a sua empresa. Seguindo nessa jornada, você vai contribuir para mudar sua organização e – por que não sonhar? – engajá-la de vez e como um todo no pleno processo de inovação. Certamente, você já ouviu falar de inovadores perseverantes que conseguiram mover sua companhia para uma rota preciosa. Pode ser sua hora.

Vale a pena ler

KAHNEY, Leander. *A cabeça de Steve Jobs*. São Paulo: Agir, 2008.
GERSTNER JÚNIOR, Louis. *Quem disse que os elefantes não dançam?* Rio de Janeiro: Campus, 2002.
CHARAM, Ram. *O líder criador de líderes*. Rio de Janeiro: Campus, 2008.
BRANSOM, Richard. *A ousadia de ser líder:* a história do homem que construiu a Virgin. São Paulo: Agir, 2010.

Mãos à obra: perguntas para reflexão e ação

Analise a cultura de sua empresa e faça a relação com fundadores e líderes recentes. Eles incutiram a inovação no DNA da organização ao longo do tempo?

Pense nas lideranças que você admira com relação à inovação e identifique quais são suas principais características e valores.

Como você avalia as lideranças de sua empresa quanto ao papel de facilitadores da inovação?

Quais são os esforços de sua organização em capacitar essas lideranças?

Você participa de processos de avaliação sobre seu desempenho e a performance das demais lideranças da companhia com relação à inovação?

E quanto a sua atitude para a inovação? Quais são seus projetos, sua visão transformadora e seus desafios a médio e longo prazos?

Qual é seu saldo de contribuição do último ano para inovar em sua atividade?

Case GE

Reinaldo Garcia, presidente e CEO da GE América Latina

A inovação faz parte do DNA da GE e é o principal motor que movimenta todos os nossos negócios mundialmente. A história de nossa companhia é resultado da iniciativa de visionários que ajudaram a forjar nossa cultura por mais de um século. Em nossa trajetória, estão os passos de líderes como Thomas Edison, um de nossos fundadores, que estabeleceu o primeiro laboratório industrial para pesquisas aplicadas do mundo e registrou mais de mil patentes em seu nome.

A única forma para que uma empresa se mantenha relevante por mais de um século é reinventando-se a cada dia, mantendo-se aberta para oportunidades, trazendo soluções inovadoras e explorando modelos em resposta aos desafios de um novo ambiente.

Durante todo o século XX, a GE se manteve como uma das empresas mais inovadoras, gerando soluções pioneiras significativas nas áreas de infraestrutura e tecnologia, como energia, óleo e gás, saúde, transporte, aviação e iluminação.

Na GE, somos permanentemente movidos pelo desejo de trazer à tona grandes ideias que ajudem a resolver problemas desafiadores do mundo de hoje que afetam nossa sociedade e nosso planeta; e, para enfrentar problemas importantes que terão ainda maior impacto em nossa vida em um futuro breve – como a escassez de água, cuidados com a saúde, fontes renováveis de energia e a otimização de seu uso, entre outros.

Um dos pilares de nossa inovação sempre foi o desenvolvimento tecnológico. Anualmente, investimos US$ 6 bilhões na área de pesquisa e desenvolvimento. Atualmente, a GE mantém quatro grandes centros de pesquisa, localizados nos Estados Unidos, Índia, China e Alemanha. São milhares de cientistas e engenheiros trabalhando no desenvolvimento de novas tecnologias ao redor do mundo.

Por sua economia pujante, por nossa presença local de mais de 90 anos e pela existência de grandes clientes industriais, centros de ensino de qualidade e numerosos talentos no país, o Brasil vai sediar nosso quinto Centro de Pesquisas Global.

Desde 2008, mais da metade das receitas da GE é gerada em outros mercados que não o norte-americano. As oportunidades de crescimento em nações emergentes influenciaram nosso foco e a estratégia de inovação da companhia, que adaptou o paradigma da glocalização para o novo modelo da inovação reversa.

Não é mais possível desenvolver produtos em nossos centros de pesquisa com premissas relacionadas apenas a clientes de mercados maduros. A inovação reversa preconiza o desenvolvimento de competências locais, em países como China, Índia e Brasil, para compreender necessidades específicas dos clientes de cada região e elaborar soluções viáveis que se encaixem em cada contexto de uso e disponibilidade de renda. Na saúde, um equipamento portátil e prático de eletrocardiograma e uma máquina extremamente compacta de ultrassom foram inovações recentes significativas que nasceram desse conceito.

Outro alicerce fundamental para alavancar a inovação é a preparação de nossos executivos. Reconhecida como uma notável "fábrica de líderes", a GE busca desenvolver talentos entre seus mais de 330 mil funcionários para conduzir os negócios nas várias divisões da companhia: Aviação, Saúde, Transporte, Soluções para o Lar e Negócios, Infraestrutura de Energia (Petróleo & Gás, Água, Geração de Energia e Fontes Renováveis) e Serviços Financeiros.

A GE foi a primeira empresa do mundo a criar, em 1956, uma universidade corporativa, hoje conhecida como John F. Welch Leadership Center, localizada na cidade de Crotonville, nos Estados Unidos, que oferece educação de alto nível por meio da união entre teoria e prática, em um ambiente de completa imersão e interação com a alta liderança da companhia e com o incentivo ao convívio social entre os alunos. Todos os anos, a empresa investe US$ 1 bilhão no desenvolvimento de seus líderes.

Para a GE, o desenvolvimento de pessoas tem o mesmo peso que os investimentos que a companhia realiza em alta tecnologia. Para evidenciar esse equilíbrio, vale mencionar que o novo Centro de Pesquisas Global da companhia no Brasil – em construção no Rio de Janeiro – terá um centro de qualificação acoplado a ele (Learning Center), atuando como uma espécie de universidade corporativa para desenvolvimento de lideranças locais e qualificação da mão de obra.

Oferecemos também treinamentos focados em inovação, como o Leading, Innovation and Growth, incentivando novas abordagens para resolução de problemas e geração de ideias, assim como proporcionamos material complementar de estudo, via plataforma virtual, disponibilizando cursos on-line de inovação como o Online Executing Innovation.

Os Programas de Liderança são outra iniciativa importante que temos. Nossos cursos intensivos, com duração de dois anos, são destinados a acelerar o desenvolvimento de talentos e formar líderes capazes de enfrentar os desafios impostos pelo mercado e pelos negócios da GE.

Outros programas de treinamento são ministrados a um grande grupo de funcionários, independentemente de eles terem ou não reporte direto, com base num sólido sistema de avaliação de desempenho, por meio do qual a GE também se tornou referência. Cursos como Leadership Development Course trabalham a influência, inteligência emocional, desenvolvimento de carreira, consciência global e visão de negócios, com o objetivo de expandir o conhecimento dos participantes sobre o significado de ser um líder na GE.

Com todos esses esforços endossados por uma prioridade estratégica, a GE tem sido reconhecida como uma das melhores empresas no desenvolvimento de líderes, em vários países do mundo. Não há dúvida de que esses líderes formados em nossa empresa trazem grande impacto no crescimento de nossos negócios, empreendendo e inovando.

Com relação a essa visão de futuro, dois programas que lançamos nos últimos anos requerem muito da capacidade inovadora e da liderança de nossos funcionários: o ecomagination e o healthymagination. Ambos estão baseados no princípio de que a imaginação é um recurso ilimitado para a GE.

A Ecomagination, criada em 2005, é a plataforma de negócios que atende às demandas crescentes por eficiência energética de nossos clientes, com soluções integradas, sustentáveis e inovadoras. Por meio desse programa, a GE coloca em prática a ideia de que desempenho financeiro e ambiental devem trabalhar juntos para impulsionar o crescimento dos negócios. Os produtos com o selo ecomagination oferecem soluções para a redução de impactos ambientais, unindo as necessidades de faturamento ao desenvolvimento de tecnologias para promover o uso eficiente de energia e água e diminuir a poluição ambiental e o consumo de combustíveis fósseis.

Paralelamente, em todo o mundo, os sistemas de saúde precisam mudar para se tornarem sustentáveis, e a GE assumiu um compromisso para ajudar a concretizar essa mudança. Trata-se de uma estratégia de longo prazo da empresa, batizada de healthymagination. Com essa plataforma de negócios, a GE compromete-se a transformar sua abordagem em relação aos cuidados com a saúde. Até 2015, mais de cem inovações serão lançadas, todas focadas em atender as três principais necessidades dos sistemas de saúde: reduzir custos, ampliar o acesso à saúde e melhorar a qualidade.

Além disso, não poderíamos deixar de mencionar nosso programa "Saltos de Imaginação" que reúne centenas de projetos, cada um com potencial de gerar receitas superiores a US$ 100 milhões nos próximos cinco anos, desenvolvendo conhecimento em plataformas de nanotecnologia e medicina molecular, entre outras.

Estas são algumas das maneiras pelas quais a GE procura se reinventar continuamente, com a inovação como peça central de nosso crescimento e o investimento no desenvolvimento de lideranças como condição essencial. Na GE nós realmente acreditamos que, se dá para imaginar, dá para fazer.

Capítulo 5

Como criar um ambiente favorável para o empreendedorismo?

"O momento crucial da inovação é quando pessoas talentosas e motivadas procuram a oportunidade para agir e concretizar suas ideias e seus sonhos."
W. Arthur Porter, professor da Universidade de Oklahoma

Uma organização que se pretende inovadora não pode depender apenas de algumas poucas mentes geniais, sob o risco de entrar em colapso no longo prazo. Durante anos, o mercado cultivou desconfiança com o futuro da Apple, a partir da retirada de cena de seu talentoso mentor, Steve Jobs. Muitos também se questionavam sobre o destino da Microsoft com a aposentadoria de Bill Gates e como se sairia a GE sem a liderança de Jack Welch. No Brasil, a pergunta era: como ficaria a TAM sem o comandante Rolim, a Votorantim sem Antônio Ermírio de Moraes e o Grupo Pão de Açúcar sem Abílio Diniz?

Sem diminuir a grande importância do papel de líderes dessa magnitude, é provável que a performance dessas empresas se mantenha sempre acima da média se certos valores estiverem solidamente impregnados em sua cultura, em sua "personalidade".

Sábios são esses líderes que conservam seu poder em questões decisivas, mas preparam suas organizações para seguir em frente sem a dependência extrema de um único indivíduo, desenvolvendo e engajando uma quantidade de grandes talentos que levarão a empresa a maiores patamares no futuro.

Ao longo deste capítulo, vamos descrever alguns desses valores tão fundamentais para se gerar uma excelente empresa e ainda mais significativos quando o foco é definir uma organização de excelência e, ao mesmo tempo, inovadora.

Autonomia

Um dos fatores mais importantes da empresa inovadora é delegar autonomia aos funcionários. No modelo antiquado, predominante até poucas décadas atrás, o perfil de gestão era centralizador, seus líderes concentravam poder por autoridade e estimulavam o comportamento passivo de seus subordinados, controlados ferozmente.

Já os melhores líderes, num conceito mais moderno, atuam vigorosamente ao definir caminhos, fazer escolhas e priorizar investimentos para conduzir a organização rumo a um futuro brilhante. Eles assumem os riscos sozinhos, mas são recompensados pelo desafio. Entretanto, compartilham decisões, abrem espaço para novos talentos, engajam-se na preparação de sucessores, permitem e acolhem ideias, envolvem seus colaboradores na busca dos objetivos da organização.

É curioso perceber que ícones mundiais da inovação como 3M, Dupont, GE, IBM, Nestlé, Philips, Samsumg, Unilever, Tata e Bayer, em maior ou menor grau, muitas vezes como consequência de seu espírito inovador, abrem-se às possibilidades de novas tecnologias aplicadas a muitos mercados, tornando-se conglomerados extremamente diversificados.

Para dar suporte ao crescimento, com atenção às mais variadas oportunidades e com ótima capacidade de transformar ideias criativas em projetos de novos negócios, essas corporações se estruturam em organizações específicas para atuar em mercados bastante distintos, conferindo a responsabilidade pelos negócios a um grande time de líderes.

A 3M organiza-se atualmente em seis grandes Grupos de Negócio – Indústria & Transporte, Saúde, Segurança, Consumo & Escritório, Elétricos & Comunicação e Comunicação Visual –, por onde se distribuem 40 business units com alto nível de independência.

A GE também é uma empresa bastante diversificada, baseada em torno de três grandes núcleos: Infraestrutura, Finanças e Mídia. Seus negócios organizam-se em dezenas de grupos de negócios, como Aviação, Saúde, Energia, Distribuição de Eletricidade, Petróleo & Gás, Transportes, Água, Iluminação, Software & Serviços, Eletrodomésticos, Finanças para Empresas e para Consumidores e Mídia (NBCUniversal Media).

A Nestlé atua com outras dezenas de business units. A corporação já englobou negócios nos mercados de alimentação (chocolates, biscoitos, sopas, caldos, etc.), água (com marcas famosas como Perrier e S. Pellegrino), nutrição (Infantil, Controle de Peso, Nutrição para Saúde e Nutrição de Performance), segmento profissional, Nespresso, ração animal, ciências da vida (uma aposta na interação entre inovações da área farmacêutica e de alimentação), além de diversas joint ventures na área de cereais (Cereal Partners Wordwide), bebidas (Beverage Partners Worldwide) e farmacêutica (Laboratório Galderma).

A brasileira Votorantim também se baseia em torno de três grandes segmentos. Na área industrial, há estruturas para desenvolver os negócios de cimento, mineração e metalurgia, siderurgia, papel e celulose, suco de laranja e autogeração de energia; no mercado financeiro, há o banco, a financeira, a gestão de ativos, operações de leasing e corretora; em novos negócios, investiu-se em atividades de biotecnologia, pesquisa mineral e química.

Com tanta diversidade de foco e tamanha complexidade de gestão, não haveria possibilidade de progresso e expansão duradouros para essas empresas, se não acreditassem genuinamente em uma cultura da gestão descentralizada e na expectativa real de que cada equipe deve desfrutar de autonomia para criar e implementar seus planos de crescimento, apostando no talento e potencial de cada colaborador para criar valor para a companhia.

Na 3M do Brasil, são 36 unidades de negócio atuantes em mercados muito diferentes – segurança do trabalho, odontologia, controle de tráfego, saúde da pele, limpeza doméstica, reparação automotiva, segurança alimentar, construção civil e distribuição de energia, entre outros – e mais de 15 mil clientes em categorias como supermercados, hospitais, concessionárias de rodovias, construtoras, ortodontistas e empresas de energia.

O presidente da 3M e seu corpo de diretores sabem que não poderão liderar pessoalmente todos os negócios, não serão capazes de desenvolver todas as estratégias vencedoras e conceber todas as novas ideias para o crescimento dos negócios. Em nossa empresa, na qual esse tipo de estrutura organizacional vigora desde a década de 1940, a regra sempre foi delegar responsabilidades e autonomia aos funcionários, inspirados no exemplo dos líderes dos tempos heroicos das primeiras décadas. Dessa forma, cria-se um amplo espaço para a atuação de intraempreendedores nas dezenas de áreas de negócio e surgem a todo momento oportunidades para novas lideranças que desejam fazer a diferença.

Por outro lado, tenho certeza de que recentemente você enfrentou ao menos uma experiência negativa com alguma empresa, em que era claro que o funcionário responsável pelo atendimento não fora devidamente preparado nem tinha autonomia para tomar uma ação, levando à perda do cliente.

Felizmente, existem também muitas histórias de funcionários comprometidos que não medem esforços para resolver problemas e atender as necessidades de seus clientes em empresas que cultivam um ambiente que estimula a proatividade.

É interessante destacar que "dar autonomia ao funcionário" não significa conceder total liberdade, fundos infinitos e plena imunidade a riscos. Tampouco significa delegar uma responsabilidade muito maior do que a pessoa pode suportar. Vale repetir alguns conceitos já citados no Capítulo 4: o bom líder entende os potenciais e a maturidade de cada funcionário; ajuda-o no seu crescimento profissional e propõe-lhe metas desafiadoras, mas atingíveis; acompanha-o frequentemente, com coaching adequado. Se não o fizer, delegar autonomia a um funcionário ainda imaturo e mal preparado pode gerar, em situações críticas, um resultado desastroso e desperdiçar aquele talento promissor.

Uma ferramenta formal muito poderosa para fortalecer essa orientação à inovação é a nossa Avaliação Anual de Desempenho. Ao final do ano, todos os funcionários da 3M são avaliados por um grupo de pessoas com base em certos atributos. Pelo menos dois deles se referem diretamente à atitude empreendedora e à capacidade de interpretação da realidade, de fora para dentro, com proximidade do mercado para visões originais que agreguem valor ao negócio. Essa avaliação constante em que todo colaborador recebe nota e feedback consistentes para cada atributo reforça a expectativa da empresa que o vê como um potencial inovador. Também permite compreender a situação atual de cada um, com reconhecimento e planos de ação para intensificar e otimizar esse potencial ou redirecioná-lo, mediante atividades para melhorar a contribuição do funcionário nesses quesitos.

Outro aspecto fundamental para termos colaboradores extremamente engajados, que tratam suas organizações como se fossem proprietários e encaram seu trabalho como "um objeto de amor", consiste no estabelecimento dos propósitos da empresa. Tudo é questão de gerar retorno para acionistas? Ou tem algo a mais na missão da organização? Com que valores ela está comprometida? Qual a visão de seu papel no mercado e na sociedade?

A 3M propõe-se a transformar o mundo, com soluções engenhosas e práticas para o sucesso e a satisfação de seus clientes, sob um rigoroso padrão ético e forte consciência social e ambiental. Cada funcionário realmente incorpora essa visão e trabalha para fazer parte dessa rede de ideias e colaboração, com o objetivo de tornar a vida das pessoas mais fácil, mais segura, mais saudável. Essa filosofia é internalizada já no processo de integração, em cada peça de comunicação da companhia, em todo encontro com as lideranças.

O Google também defende uma causa que move seus colaboradores. Sua missão almeja organizar toda a informação existente no mundo, tornando-a acessível e útil para todos. De certo modo, é uma razão inspiradora, democrática e transformadora.

A Nokia estabelece uma missão simples e efetiva: conectar pessoas para que possam aproveitar melhor as oportunidades da vida por meio da comunicação móvel, seja para interagir com amigos e familiares, para o entretenimento, educação, informação ou para fins comerciais, entre outros.

O Grupo Lego é comprometido em ajudar crianças no desenvolvimento da criatividade e habilidades de aprendizagem por meio de seus brinquedos para montar. Certamente, trata-se de um objetivo nobre, que envolve o despertar do pensamento inovador e da educação graças a atividades lúdicas e uma forte consciência social e ambiental.

Daniel H. Pink, escritor norte-americano, publicou um dos bons livros da safra de 2010, *Drive – the surprising truth about what motivates us*[2], no qual descreve a importância de alguns fatores para a motivação humana. Um resumo de suas ideias está no Youtube em um dos vídeos geniais da RSA.org, criado pela agência inglesa Cognitive Media, com base em palestra organizada pelo TED.

O autor reforça o conceito já amadurecido de que estímulos de motivação extrínsecos, como bônus por resultados e premiação por campanhas, são importantes. Funcionam exemplarmente para

---

[2]PINK, Daniel H. *Motivação 3.0*. Rio de Janeiro: Campus, 2010.

estimular atividades operacionais, mecânicas. Entretanto, seriam absolutamente ineficazes para trabalhos cognitivos. Em outras palavras, para missões que exijam criatividade, imaginação, raciocínios complexos, oferecer "cenouras douradas" simplesmente não traz resultados. As alternativas eficazes seriam, entre alguns fatores, a concessão de autonomia e a defesa de uma causa.

Theresa Amabile, professora de Harvard e uma das maiores experts em criatividade, afirmava há décadas em seus estudos que "níveis mais altos de criatividade provavelmente ocorrerão em pessoas flexíveis, que gostam do que fazem e que trabalham num ambiente em que se sentem desafiadas, encorajadas a correr riscos que a implementação de uma nova ideia implica, e apoiadas em sua autonomia".

Em versão atualizada e adaptada, a conclusão é de que empresas inovadoras serão aquelas com todos esses fatores citados pela professora Amabile, acrescidos de propósitos pelos quais as pessoas se importam profundamente e desejam lutar com toda a tenacidade e entrega.

Incentivo ao empreendedorismo

Toda empresa inovadora almeja que seus funcionários sintam-se estimulados a colaborar com o crescimento da organização, não somente executando tarefas definidas, mas usando sua energia para propor ideias, sugerindo novos caminhos para os negócios, aperfeiçoando processos, solucionando problemas. O início é realmente conceder autonomia. Os talentos da companhia devem estar plenamente cientes dos objetivos, valores, políticas e outros aspectos importantes do ambiente de negócios da empresa. Depois, é garantir que tenham sua liberdade, seu espaço, sua própria maneira (dentro de alguns limites) de trabalhar, fazendo-nos recordar a imagem sempre presente na famosa letra da canção "My Way", escrita por Paul Anka e imortalizada na voz de Frank Sinatra.

"À medida que nossos negócios crescem, torna-se necessário delegar responsabilidades e encorajar todo homem ou mulher a exercer suas iniciativas. Isso exige tolerância considerável. Aqueles homens e mulheres a quem delegarmos autoridade e responsabilidade, se forem boas pessoas, irão querer fazer o trabalho à sua maneira."
William McKnight, presidente da 3M, 1948

O talentoso consultor Pedro Mandelli também costuma pregar veementemente contra o microgerenciamento e o controle mesquinho dos chefes anacrônicos, reforçando que o bom alinhamento e capacitação somados com elevado grau de autonomia e liberdade trazem a combinação ideal para os líderes de alta performance, que efetivamente contribuirão de forma mais significativa com as empresas.

Essa liberdade, essa sensação de autonomia, esse horizonte de desafio e confiança são muito importantes para reter os melhores talentos e fundamentais para a concretização da capacidade inovadora desses líderes de alto desempenho.

Com esse ambiente de liberdade e autonomia, líderes empreendedores se fortalecem e, motivados por um propósito, concebem ideias e experimentam possibilidades, dando abertura para as inovações. Sua atuação deles não se limita à descrição de cargos; seu ownership sobre os projetos críticos da empresa é gigantesco; seu radar para detectar oportunidades de negócio e de melhorias para a empresa não desliga nunca, e sua mobilização para transformar sonhos em realidade dentro das limitações existentes é incansável.

Esse comportamento caracteriza o intraempreendedorismo, um conceito que passou a ser mais estudado no final da década de 1970 por acadêmicos como Gifford Pinchot, autor do livro-base para os primeiros cursos sobre o assunto que começaram a ser ministrados no Brasil especialmente a partir dos anos 1990, e que tentou responder a uma grande pergunta: como uma organização consegue cultivar um ambiente e fortalecer uma cultura favoráveis ao intraempreendedor?

Na prática, sabemos que é algo muito difícil de implementar, pois líderes desqualificados, teias burocráticas, inexistência de propósitos e tantos outros obstáculos costumam emperrar a potencial máquina de inovação.

Arno Penzias, ganhador do prêmio Nobel de Física de 1978, comparou o ambiente das organizações a uma atmosfera de vestiário masculino, em que um monte de adultos se degladiariam com golpes de toalha molhada, demonstrando incredulidade com tanto investimento das organizações a fim de produzir um ambiente criativo, quando tacitamente reforçariam o contrário.

Há alguns anos, vi uma foto na internet que incorporei aos meus treinamentos de inovação. Ela mostrava um funcionário empunhando um cartaz que dizia, ironicamente, nos moldes das mensagens de celebração por conquistas de segurança do trabalho: "Estamos há 2 dias sem tomar esporro. Nosso recorde é de 4 dias".

É claro que um ambiente em que impera o medo, fechado a sugestões, intolerante aos erros e desrespeitoso com o ser humano, não deve propiciar grandes inovações. Seria bom se não existissem tais ambientes anacrônicos, mas sabemos que essa realidade não é tão incomum em nossas organizações.

Intuitivamente, os primeiros líderes da 3M já praticavam a preciosa atitude de liderança que abre espaço para as ideias e ação dos empreendedores. William McKnight, o grande patrono da inovação 3M, tomou diversas decisões ao longo de sua trajetória que conspiraram para incentivar o intraempreendedorismo e engajamento dos funcionários.

No final dos anos 1910, McKnight ocupava a gerência comercial da 3M, ainda uma pequena empresa de abrasivos de atuação regional. Como líder de visão, analisou o processo das visitas comerciais da 3M e de seus concorrentes. Na época, os vendedores visitavam seus clientes e se limitavam a conversar com os proprietários dos estabelecimentos, mostrar o produto e distribuir amostras, tabelas de preços e cartões de visita. Depois, aguardavam pelo pedido. De forma revolucionária, McKnight orientou que os vendedores deveriam visitar a linha de produção das empresas e criar um relacionamento com os usuários dos produtos. Ainda sem pensar diretamente em inovação, ele tinha certeza de que a proximidade com o usuário faria com que a 3M obtivesse informações preciosas sobre o desempenho de seus produtos e a performance dos concorrentes, levando ao desenvolvimento de novas lixas de maior qualidade.

Com isso, a 3M evoluiu na fabricação de seus itens abrasivos até que, em 1923, surgiu a primeira oportunidade para diversificação de produtos.

Richard Drew era um jovem assistente de laboratório. Ao visitar uma oficina de reparação automotiva da época, percebeu que o pintor usuário das lixas 3M tinha um grande desafio em outra etapa do trabalho. Para proteger as áreas íntegras do automóvel, que não precisavam de reparo, o pintor pregava folhas de jornal com esparadrapos ou cola à lataria, muito difíceis de remover ao final da operação, causando-lhe perda de tempo e qualidade.

Richard tornou-se então um dos primeiros intraempreendedores oficialmente registrados da história, pois decidiu ir além da descrição de seu cargo, que consistia em melhorar as lixas. Ele espontaneamente identificou uma oportunidade de negócios para a sua empresa, baseada na necessidade de seu cliente, e propôs um projeto de desenvolvimento de um novo produto para sua liderança. O resultado? Dois anos depois, a 3M lançava a fita crepe, produto que até hoje é utilizado intensivamente na fabricação de automóveis e eletrodomésticos, na construção civil, oficinas e em estúdios de TV e cinema.

Reflita agora sobre esse episódio fascinante de inovação. Certamente, hoje é provável que algum funcionário use sua energia para detectar uma necessidade e sugerir uma solução inovadora, porém irá esbarrar em algum chefe que não o escutará, não lhe dará a devida atenção, ou simplesmente rebaterá sua ideia, dizendo que ela não faz parte das prioridades ou dos objetivos da companhia, dando-lhe nova orientação que reforçará a postura reativa, de ações de curto prazo.

Se no início desse processo na 3M tudo ocorreu de forma mais ou menos intuitiva, depois as lideranças da companhia passaram a ser capacitadas para criar permanentemente este ambiente no qual todos possam sugerir e liderar projetos. Parte dos produtos de sucesso foi criada na 3M não porque decorria de estratégias da empresa ligadas a uma visão de futuro em dado momento, mas porque o ambiente de liberdade e confiança permitiu e encorajou que os funcionários sugerissem seus próprios projetos, nascidos de sua imaginação e energia. As fitas sintéticas para laços de embrulhos de presentes (fita sasheen™), os protetores de tecido Scotchgard™ e os apliques plásticos 3M STP (*specialty trim parts*) para personalização de peças automotivas (material usado, por exemplo, na customização do Novo Uno da Fiat), entre tantos outros itens, foram projetos vitoriosos, todos iniciados por funcionários empreendedores e encorajados por líderes de alto nível.

Como a 3M, muitas empresas inovadoras cultivam esse ambiente de estímulo ao empreendedor corporativo, com bons resultados para reportar. Recentemente, a Rhodia vivenciou o projeto do fio Emana para combater a celulite e melhorar a circulação; a Dupont desenvolveu a blindagem especial Armura para veículos a preços mais acessíveis; e a Tetrapak obteve melhorias significativas no processo de impressão de embalagens.

Cultura de tolerância ao erro

Quem já implantou um sistema de inovação sabe, por experiência, que boa parte das ideias não se torna inovação. Estatísticas costumam mostrar que apenas 10% a 20% das ideias sugeridas são implementadas com sucesso.

Muitas ideias não são conectadas com o objetivo do negócio, nem estão em sintonia com as transformações do mercado ou as necessidades do consumidor. Outras parecem brilhantes, mas durante o processo de desenvolvimento esbarram em avaliações negativas, custos proibitivos, margens desinteressantes. Em alguns casos, falta tecnologia; em outros, as dificuldades de acessar o mercado se mostram intransponíveis. A verdade é que a jornada vitoriosa de uma boa ideia até o momento da execução pode ser complicada.

Neste cenário, como a empresa deve encarar os inovadores que não tiveram êxito em seus projetos? Hoje, de forma praticamente unânime, defende-se a cultura de tolerância ao erro nas empresas que desejam seguir pelos caminhos da inovação.

Há algum tempo, li a célebre frase do general romano Pompeu, "Navegar é preciso. Viver não é preciso", adaptada ao universo da inovação: "Repetir é preciso. Inovar não é preciso". Considero esse insight brilhante, pois nos lembra de que a ideia de repetição e condução dos negócios sempre do mesmo modo, na "mesmice", é um processo absolutamente ultrapassado. Leva-nos a resultados conhecidos. Em contrapartida, inovar não tem nada a ver com precisão. É um fenômeno com alto grau de incerteza, pois muitas vezes estamos em processo de experimentação e descoberta, lidando com interações por vezes imprevisíveis.

Quem empreende, ousa ou atreve-se a buscar novas trilhas que levam a maiores resultados muitas vezes pode não acertar. São os riscos que as empresas inovadoras assumem. Portanto, erros são inerentes ao processo de inovação. Por isso, é vital que a organização ampare esses fracassos e estimule as equipes para um recomeço.

Imagine uma organização em que os funcionários são estimulados a pensar em novas ideias para o negócio. Diversos colaboradores inspirados contribuem e algumas de suas ideias são selecionadas, priorizadas e se tornam projetos. Algum tempo depois, um dos projetos não evolui, apesar dos recursos que consumiu. Vamos pensar que o líder da empresa, sob pressão de prazos e resultados, "saia do prumo" e publicamente humilhe e puna a pessoa que empreendeu a ideia. O provável final dessa tragédia é que, em um clima de terror e falta de confiança, ninguém mais ouse coisa alguma. O incipiente ambiente de experimentação, colaboração e imaginação se aniquila e se transforma em terra arrasada.

Vale destacar que essa tolerância ao erro não significa absolutamente complacência com baixa performance. O erro relacionado com a falta de comprometimento, o desvio de conduta e a incompetência não pode ser tolerado em ambientes competitivos de mercado.

Atualmente, as empresas contam com um arsenal de processos e métodos para reduzir erros em operações repetitivas e mais previsíveis, como as ferramentas Six Sigma, o Sistema de Lean Manufacturing e os checklists. Na área de inovação, também existem métodos para diminuir a probabilidade de erros e mitigar riscos, como a metodologia Design for Six Sigma, as ferramentas de QFD (casa da qualidade), pesquisas de validação de conceito, desenvolvimento de protótipos e etapas de scale-up na fabricação, entre centenas de outras alternativas. No entanto, a implementação de inovações, especialmente as de maior grau de novidade, sempre enfrentará razoável grau de incerteza.

Nesse contexto, o que diferencia as corporações inovadoras é sua capacidade de criar um ambiente psicologicamente seguro e aproveitar os erros para aprender. Como afirmava Peter Drucker em seu artigo seminal, "A disciplina da Inovação", o fracasso também pode ser uma fonte importante da inovação. Em seu relato, Drucker relembra o case do automóvel Edsel da Ford, considerado um dos fracassos retumbantes da história da indústria automotiva. Outra parte da história, menos conhecida, é que o esforço dedicado ao projeto fracassado permitiu que a Ford acumulasse conhecimentos e gerasse insights para mudar os critérios de segmentação de mercado da época – da renda para os estilos de vida – antes de outras montadoras. Assim, a experiência do Edsel abriu portas para que a Ford respondesse com o desenvolvimento do Mustang, um de seus maiores sucessos.

Os sócios-fundadores da rede de fast-food italiana Spoleto, nascida em um quiosque de 12 metros quadrados no Rio de Janeiro, também afirmam que aprenderam muito com os seus erros. Fracassaram em alguns investimentos e quase foram à falência, mas hoje comandam a Umbria, grupo que reúne mais de 280 lojas do restaurante Spoleto, a

master franquia da Domino's Pizza no Brasil e a temakeria Koni Store.
Ao longo do tempo, porém, muitas vezes projetos de insucesso podem inesperadamente se transformar em grandes inovações. Na 3M,
isso já aconteceu. Especula-se que certa vez um cientista inventou
uma manta de não tecidos para filtrar gordura de canjas de galinha.
Obviamente, o invento não trouxe retorno algum para sua finalidade.
Mais tarde, a ideia foi adaptada por outros técnicos e deu origem à linha de produtos Sorbent, usada para absorver óleo das águas em aci-
dentes com derramamento de petróleo. Outra tentativa de desenvolver
sutiãs com não tecidos não vingou, mas, exposta à rede de colaboração interna, a ideia nos levou a criar os respiradores sem manutenção
que protegem os trabalhadores.

É também conhecida a história do Viagra®, remédio originalmente desenvolvido pela Pfizer para doenças cardiovasculares, mas
que obteve sucesso para a disfunção erétil, consequência de seus
efeitos colaterais.

Mas tenha cuidado com as interpretações simplistas. Muitos gostam de fazer abordagens superficiais, minimizando o significado dessas histórias e afirmando: "A inovação pode nascer de um fracasso".
A verdade é que erros só se transformam em inovação quando há um
sistema implantado, uma cultura que não prioriza a busca de cul-
pados, nem pretende eliminar os mensageiros das más notícias. As
empresas inovadoras entendem que, nos processos de descoberta,
há muitas informações valiosas que, transformadas pela interação
de mentes criativas em ambiente de colaboração, com flexibilidade,
transparência e confiança, podem gerar frutos preciosos.

Uma recomendação de empresas como Ideo, Google e a própria
3M é de que, ao cometer erros, que seja feito de forma rápida e, principalmente, barata. Quanto antes encerrarmos um projeto com grande
potencial de fracasso, mais rapidamente liberamos pessoas e recursos para apostar em outros programas. Na 3M, durante os primeiros
anos de implantação da metodologia Six Sigma, eram frequentes as
comemorações de projetos interrompidos na metade do caminho. A
Eli Lilly também criou suas "festas do fracasso" nos anos 1990, que
celebravam a economia proporcionada pela revisão de investimentos
em projetos que não atingiam suas metas.

Errar de forma barata é mandatório. Por isso, sempre que possível,
desenvolva projetos-piloto adequados, monte experimentos consisten-

tes, mantenha em perspectiva a intenção de obter o maior conhecimento possível em fases exploratórias, antes de empreender investimentos maciços e destemidos sem a devida segurança. O balanço entre assumir riscos e mitigá-los é imprescindível.

"Erros vão acontecer. Porém, se uma pessoa está essencialmente certa, os erros que ela ou ele comete não serão tão graves quanto os erros que o gerenciamento vai cometer, se disser àqueles a quem a autoridade foi delegada como fazer o seu trabalho. A gerência que é destrutivamente crítica diante de erros cometidos mata a iniciativa. E é essencial que tenhamos pessoas com iniciativa, se quisermos continuar a crescer." **(William McKnight**, 3M, 1948)

Tempo dedicado à inovação

Retomando a história do inventor da fita crepe, felizmente entendemos que o líder 3M dos anos 1920 não travou o projeto iniciado por Richard Drew. Ele fez suas análises e julgou que valia a pena investir um pouco na sugestão do funcionário empreendedor. Como a equipe era pequena e as lixas eram a prioridade, o time foi orientado a se dedicar na maior parte do tempo à evolução da linha de produtos abrasivos, carro-chefe da companhia, mas ganhou espaço suficiente, algo como 15% do seu tempo de trabalho, para desenvolver o projeto desta inovação.

A semente foi plantada na 3M em 1923, e pelo menos desde os anos de 1940 o princípio se formalizou, permitindo que toda a comunidade técnica da empresa desfrutasse de 15% do tempo de trabalho para se dedicar a projetos apaixonantes. Esta é a famosa "regra dos 15%" que tanto influenciou organizações desejosas de garantir formalmente que seus funcionários investissem parte do seu tempo na inovação, criando seus "projetos de estimação" (os chamados pet projects), certamente gerados com altíssimo grau de engajamento e energia criativa.

Os blocos Post-it® talvez sejam o maior exemplo de projetos nascidos sob esse conceito de liberdade para criar. Art Fry, cientista da 3M, usou seus 15% de tempo para desenvolver um bloco de recados autoadesivo, motivado pela ideia de inventar um marcador de páginas para suas partituras musicais. Seu objetivo era solucionar as dificuldades que enfrentava ao cantar no coral da igreja. Nessa ocasião, a 3M não pediu para que seu funcionário criasse o produto. Foi o ambiente 3M de incentivo ao empreendedorismo que permitiu a Art Fry utilizar parte de seu tempo de trabalho e recursos da companhia para desenvolver um projeto que resultou em milhares de itens e gera anualmente mais de US$ 0,5 bilhão em vendas globais.

Mais recentemente, o Google também tem se destacado em adotar e propagar a política consagrada pela 3M há mais de meio século. Na gigante digital, os engenheiros de desenvolvimento dispõem de 10% do seu tempo para se dedicar a projetos pessoais.

Todavia, a maioria dos textos sobre essa política de tempo dedicado à inovação refere-se apenas ao seu objetivo, deixando no ar algum romantismo a respeito do assunto. Nunca é demais lembrar que nas organizações inovadoras o caos combina com a disciplina e a criatividade mescla com controles para encontrar um ponto de equilíbrio saudável. Tanto na 3M como no Google, existem mecanismos de acompanhamento para saber como esses recursos são utilizados e que resultados trazem. Claro que nem toda ideia é válida para a iniciativa. Há de ter alguma sinergia inicial mínima com o escopo da empresa. Se os controles são mínimos na fase inicial das ideias, certamente haverá maior interferência da empresa no trabalho do empreendedor à medida que investimentos mais vultosos são requeridos.

Em resumo, dar espaço aos funcionários para desenvolver projetos paralelos é uma prática diferenciada que se alinha perfeitamente com a ideia de engajar, conceder autonomia, proporcionar liberdade e estimular a criatividade dos funcionários que, em consequência, se dedicarão mais e mais a fim de gerar inovações transformadoras.

Reconhecimento

Reconhecer os intraempreendedores da organização é fundamental. Se um colaborador demonstra comprometimento e energia para avançar além das fronteiras da descrição de cargo, usando sua imaginação e seu conhecimento para agregar valor à empresa, aos clientes e à sociedade, certamente merece distinção e reconhecimento.

Em momentos de mudança cultural orientada para a inovação, é comum incentivar e premiar funcionários pelo envio de ideias. Nesse caso, busca-se consolidar uma atitude, com razoável foco quantitativo, porém um dos maiores erros nessa etapa é não retornar rapidamente às ideias submetidas. Em culturas de inovação mais maduras, nas quais já existe um fluxo robusto de ideias e forte atitude participativa, o foco está em reconhecer as inovações, ou seja, as ideias já implementadas e que trouxeram resultados significativos. Também se faz uma discussão interessante entre reconhecimento e recompensa para estimular os empreendedores das empresas.

Na 3M, historicamente optamos por valorizar o reconhecimento. Os inovadores ganham grande visibilidade por suas descobertas, são convidados para compartilhar seu conhecimento com toda a organização global, recebem das mãos das maiores lideranças da companhia troféus e certificados em cerimônias solenes e são prestigiados em homenagens especiais. Há também alguma recompensa material, mas simbólica, como viagens a resorts e prêmios diversos.

Para ilustrar o conceito do reconhecimento cultuado na 3M, usamos a imagem de uma cena emocionante do filme Uma Mente brilhante (*A Beautiful Mind*), estrelado por Russell Crowe. O ator representa o matemático John Nash que a certa altura recebe canetas de seus pares catedráticos em sinal de reverência e admiração. De certa forma, é o efeito que tentamos reproduzir para louvar nossos grandes colaboradores. Na área da ciência, temos inclusive a "Richard Carlton Society", uma espécie de clube de honra criado para homenagear os expoentes da comunidade técnica.

Cultivamos muitas premiações, locais e globais, para reconhecer altos desempenhos. Existem premiações para praticamente todos os tipos de profissionais na 3M. Temos o Innovator Award, o Global Marketing Awards, o Technical Circle of Excellence Award, o 3M Chairman's Environmental Award, o Communication Awards Program, entre outros, que contemplam as contribuições inovadoras de profissionais de marketing, executivos de venda, cientistas de P&D, engenheiros de manufatura, profissionais de higiene industrial e muitos outros.

Recentemente, o departamento de Marketing Corporativo – que lidero – criou a Liga dos Inovadores, uma espécie de competição anual com rodadas mensais, baseada em critérios de desempenho operacional, em que as dezenas de business units e plantas industriais disputam entre si a conquista da melhor performance nas ligas de negócios e manufatura. Os melhores times são apontados trimestralmente e, ao final do ano, são divulgados os campeões, que recebem grande reconhecimento de toda a companhia, com destaque também para algumas performances individuais.

Além do reconhecimento, é claro que a contribuição ligada à inovação é incluída na avaliação de performance dos profissionais, com o devido impacto no crescimento da sua carreira. Grandes resultados em inovação podem levar a promoções, job rotations, experiências internacionais, uma posição de liderança nas equipes – dependendo do caso e sempre acompanhada de mais responsabilidade –, mais investimentos em desenvolvimento, possibilidades de diversificação de conhecimento e novos desafios.

Outras empresas preferem privilegiar a face da recompensa, com prêmios materiais mais significativos para as inovações de sucesso. Há organizações ainda que compartilham a propriedade da patente com o seu autor, remunerando-o com pequenos percentuais dos resultados atingidos, e prêmios robustos em dinheiro aos inovadores.

Na 3M, costumo dizer que, como todo mundo, nossos profissionais também gostam de dinheiro e de premiações materiais. No entanto, em nossa cultura, valorizamos muito mais a parte do reconhecimento, da autonomia, dos 15% de tempo livre, do propósito de nosso trabalho. Também apostamos muito na colaboração, no intercâmbio de conhecimento entre as pessoas. Julgamos que climas muito competitivos, nos quais os profissionais disputam de forma acirrada visibilidade e recursos, uns contra os outros, podem inibir essa rede de aprendizagem e troca de conhecimento. Todavia, sabemos que algumas organizações valorizam muito a competitividade interna e as recompensas materiais, conquistando, assim mesmo, muito sucesso em seus negócios.

Portanto, pelas mais de mil empresas com quem já conversamos nos últimos anos sobre inovação, nossa conclusão e recomendação são de que há apenas uma regra obrigatória a respeito: empresas inovadoras precisam estabelecer mecanismos de reconhecimento, com critérios meritocráticos que sejam valorizados pelos funcionários. A forma, o tipo de premiação, as cerimônias de celebração e todos os outros detalhes devem estar conectados com a personalidade da organização, os valores culturais da empresa. E isso certamente varia de uma organização para a outra.

"Ser empreendedor é estar apaixonado pelo projeto, e não pelos benefícios que ele possa trazer."
Pedro Passos, sócio-fundador da Natura

 Vale a pena ler

DRUCKER, Peter. *The discipline of innovation.* Harvard Business Review, nov./dez. 1998.
EDMONDSON, Amy. *Estratégias para aprender com o erro.* Harvard Business Review Brasil. Disponível em: <http://www.hbrbr.com.br>.
MANDELLI, Pedro. *Muito além da hierarquia.* 13. ed. São Paulo: Gente, 2010.
PINCHOT, Gifford. *Intrapreneuring:* why you don´t have to leave the corporation to become an entrepreneur? Londres: Harpercollins, 1985.
PINK, Daniel H. *Motivação 3.0.* Rio de Janeiro: Campus, 2010.

Mãos à obra: perguntas para reflexão e ação

Os líderes de sua empresa se esforçam a fim de agir como facilitadores, preparando seus funcionários para assumir maiores responsabilidades e concedendo autonomia aos membros da equipe de forma equilibrada?

A estrutura organizacional da empresa incentiva as decisões descentralizadas e a atuação empreendedora de novas lideranças, criando novos espaços para profissionais de alta performance e potencial?

Há mecanismos de integração e avaliação de desempenho que expõem claramente a expectativa relacionada à contribuição de cada funcionário para a inovação?

Quais são as grandes causas de sua organização? Elas são motivadoras e contagiantes para atiçar o espírito empreendedor dos colaboradores?

As lideranças estão preparadas para cultivar o ambiente de empreendedorismo, dando liberdade e transparência, abertura e coaching, priorização e reconhecimento?

Como são encarados os erros em sua organização? Buscam-se oportunidades de aprendizagem neles enquanto se garante um ambiente de certa segurança psicológica?

Como anda o interesse dos líderes de sua empresa em assumir riscos?

Em sua organização, os funcionários possuem tempo definido para se dedicar a projetos de sua paixão? Ou, ao menos, conseguem com certa facilidade apresentar ideias e iniciar projetos?

Como se dá o reconhecimento para aqueles funcionários que fazem a diferença?

Professor Berthier Ribeiro-Neto, diretor de engenharia do Google Latam

A combinação entre o espírito irrequieto e inquisitivo de seus fundadores com a curiosidade e iniciativa de seus funcionários é o que torna o Google uma empresa na qual a inovação pode ocorrer a qualquer momento. A gestão de pessoas e projetos, inspirada na horizontalidade e transparência características da academia, valoriza a iniciativa individual e a colaboração entre times. Que seja, tal modelo preserva semelhanças com os modelos de gestão de grandes empresas inovadoras como 3M, GE e Apple.

Tanto Larry Page como Sergey Brin vieram de famílias de acadêmicos e sempre compartilharam genuína curiosidade científica. A formação em colégios montessorianos, em que a criatividade e o respeito ao espaço de cada um é a regra, influenciou de forma decisiva a construção do ambiente interno da empresa.

O Google foi fundado por Larry e Sergey em 1998 quando ainda eram alunos de doutorado em Stanford. Como o ambiente acadêmico agradava a ambos, eles implantaram o mesmo ambiente informal e flexível da academia na empresa e se comprometeram a manter esse espírito de campus universitário no dia a dia, ainda que temperado por metas e objetivos claramente estabelecidos. A informalidade, o discurso franco e o desejo de mover-se rapidamente permitiram, e ainda permitem, que as pessoas se comportassem de forma genuína, sem os protocolos e trejeitos tão comuns na vida corporativa.

Quando a empresa começou a crescer e os primeiros funcionários foram contratados, os fundadores se concentraram em atrair pessoas que compartilhassem os mesmos valores – criatividade, transparência, objetividade, trabalho intenso e paixão. Foi essa cultura que permitiu contribuições variadas de diferentes pessoas e que levou a soluções inteligentes de engenharia para problemas da sociedade, como a busca por informação de interesse, por meio da máquina de busca Google, ou de uma de suas instâncias verticais, como mapas, livros, imagens, notícias e google acadêmico.

No Google, impera a crença de que a chave para a inovação continuada está em contratar pessoas com o perfil apropriado. Dessa forma, a empresa atribui grande ênfase ao seu processo de seleção de pessoal, que objetiva identificar candidatos com conhecimento técnico e história de vida e/ou experiências que indiquem um perfil empreendedor. Trata-se de pessoas capazes de se tornar produtivas em um ambiente pouco estruturado, com organização horizontal e muita liberdade para decidir quais tarefas abordar. Nesse contexto, a função dos gestores é operar como facilitadores e orientadores para que as equipes funcionem de forma coordenada e possam gerar grandes resultados. O indivíduo se alinha com a equipe porque sua compensação e promoção dependem diretamente da geração de resultados expressivos alcançados por seu grupo.

O Google também acredita que é necessária alguma estrutura para facilitar a gestão das equipes e alcançar os objetivos propostos. Entretanto, a liberdade e a criatividade não podem ser estranguladas por isso. Assim, a empresa implementa uma estrutura hierárquica de poucos níveis e estimula a livre comunicação entre pessoas, independentemente do cargo. Nessa cultura de informalidade, a relação entre os profissionais permite, por exemplo, que alguém recém-contratado possa conversar facilmente com um diretor de outra área que não a sua.

Essa liberdade de trânsito de informações e de troca de experiências, de forma livre e aberta, e a informalidade na comunicação modelam a cultura colaborativa do Google, potencializando o que cada um pode fazer na empresa. Adicionalmente, ela cria oportunidades de encontros presenciais entre diferentes times para estimular o trabalho de equipes multifuncionais, muitas vezes compostas por pessoas localizadas em unidades distintas. Para garantir a conexão desses times, a organização disponibiliza diversos recursos tecnológicos, como plataformas de comunicação colaborativa em rede, videoconferência, repositórios wiki e intranet.

Outro traço marcante da cultura da companhia é a tolerância ao erro. Não há dúvidas de que falhar faz parte do processo de perseguir o novo. De fato, Sergey Brin, um dos fundadores, costuma dizer que "se não estamos errando muito é porque não estamos tentando inovar como deveríamos".

Dito isso, é importante frisar que os erros são importantes, pois nos permitem aprender. Pessoas que trilharam o caminho de conceber um projeto a partir de uma ideia, convencer outros a se juntar ao esforço de desenvolvimento, lançar um produto novo e observar o resultado, usualmente aprendem tremendamente com o processo. Aprendem a respeito do que funciona e também do que não funciona. Mais importante, entendem por que um novo produto foi bem aceito pelos usuários. Ainda que seja por causa de uma falha, os indivíduos envolvidos com a experiência tornam-se melhor preparados para acertar da próxima vez.

Em contrapartida, a empresa adota processos eficientes para diminuir os riscos de desenvolvimento, uma vez que mover rapidamente a inovação para o mercado é vital para uma empresa que atua na web como o Google. Enquanto uma companhia responsável por fabricar turbinas de avião, por exemplo, não se pode dar ao luxo de fazer muitos testes de campo em curto espaço de tempo, o Google aproveita a popularidade da web para experimentar. É muito comum que um projeto seja colocado no ar ainda como "beta" (ou às vezes até mesmo em versão alfa), tornando possível colher as reações dos usuários e entender melhor como prosseguir. Os usuários compreendem e participam desses projetos, motivados a colaborar com o desenho e desenvolvimento de soluções que afetam positivamente a vida de milhões de pessoas.

Por fim, para estimular ainda mais a inovação e o empreendedorismo em seu ambiente, o Google adota um modelo de distribuição do trabalho chamado de 70-20-10. Parece complexo, mas na verdade é bem simples. Para entendê-lo, o caminho mais fácil é comparar com o trabalho de um professor universitário. Sua principal atividade é lecionar (o que seria 70% do tempo). Porém, nosso professor também precisa de tempo para preparar e corrigir provas e trabalhos. Essa atividade, intrinsecamente ligada a lecionar, são os 20% de seu tempo. No entanto, para ser um professor realmente atualizado e conectado ao mundo, ele também precisa buscar novidades em outras áreas, para que entenda melhor e contextualize seus próprios conhecimentos – o que representa os restantes 10%.

O funcionário do Google tem seu tempo dividido basicamente dessa forma. Ele tem uma atividade principal, que ocupa a maior parte do tempo. Porém, é muito importante que pense em como pode melhorar essa atividade, buscando inovações em sua própria área. Os 10% restantes são o tempo para pensar em desafios não necessariamente ligados a seu trabalho, em que pode ser livre para "atacar" qualquer problema de seu interesse. Diversos produtos do Google saíram desses 10% de tempo dedicado com maior liberdade, como o Orkut e o Google News.

É com esse espírito de inovação que o Google trabalha diariamente para organizar as informações do mundo e torná-las acessíveis e úteis a todos.

Capítulo 6

Redes de conhecimento: como promover o intercâmbio de ideias

"Individualmente, nós somos uma gota. Juntos, somos um oceano."
Ryunosuke Satoro, poeta japonês

novações nascem da interação entre pessoas, do inter-câmbio de conhecimento, da troca de experiências, da conexão entre mentes curiosas e motivadas a solucionar um problema.

Mesmo criadores que trabalharam de forma isolada, contando com recursos próprios, receberam em algum momento influências e contribuições de antecessores, professores, conselheiros, pensadores, realizadores, partindo sempre de bases estabelecidas de conhecimento que antecederam a concepção de sua inovação.

Em uma empresa inovadora, em que a colaboração entre funcionários de qualquer nível é intensa, ideias colidem, provocando uma reação em cadeia que leva a mais descobertas, aprendizados e, acima de tudo, a novas perguntas.

Recebemos informações e as interpretamos, associamos ideias de acordo com o nosso repertório e experiências, recombinamos conceitos, priorizamos, organizamos e, por vezes, omitimos, ao mesmo tempo que também fazemos juízos de valor, desconstruímos, aumentamos, subvertemos, enfim, fazemos uma série de operações mentais que geram outros pensamentos.

Portanto, se quisermos construir e manter uma organização inovadora, é fundamental analisar se temos um ambiente favorável a esse intercâmbio de ideias, checando a existência e eficiência de mecanismos de gestão do conhecimento e de processos que potencializem as oportunidades de convivência e de alta conexão entre os colaboradores.

A história nos mostra de forma incontestável, na gênese de movimentos transformadores da ciência, arte e política, a importância de ambientes pródigos em viabilizar a discussão de ideias, o questionamento do *status quo*, o acesso farto à informação e a comunicação fluente entre indivíduos.

Ainda hoje há na sociedade uma visão simplificadora e mistificadora que nos faz acreditar que as grandes descobertas são frutos do trabalho individual de gênios. As informações que recebemos, seja nas escolas, na conversa com amigos ou na leitura de uma revista, geralmente reforçam a figura dos grandes inventores, ressaltando seu precioso papel na história, sem, no entanto, muitas vezes investir tempo suficiente para detalhar o contexto da descoberta, as influências anteriores e o desempenho de agentes coadjuvantes, porém essenciais no processo da inovação. Pensadores como o escocês Thomas Carlyle contribuíram para fortalecer a crença em grandes heróis que transformaram a sociedade. Assim, considera-se Santos-Dumont, o pai da Aviação; Thomas Edison, o inventor da lâmpada elétrica; Alexander Graham Bell, o criador do telefone.

Sem dúvida alguma, estamos diante de três gênios inventivos, empreendedores talentosos e visionários incomparáveis. Entretanto, vamos analisar em detalhe a história desses inovadores.

No livro Dans L'Air de 1904, cuja reedição foi patrocinada pela 3M do Brasil em 2009, Alberto Santos-Dumont nos dá numerosas pistas dos aprendizados e experiências que o ajudaram a desenvolver o 14 Bis e a ser o primeiro homem a voar com uma aeronave mais pesada que o ar, usando a força propulsora de seu próprio motor, no ano de 1906.

Na infância, Alberto já guiava locomotivas e brincava com máquinas de beneficiamento de café; com cerca de 18 anos, dirigia um automóvel Peugeot que era desmontado e estudado intensamente pelo curioso jovem inventor. No ambiente efervescente da Paris do final do século XIX, Santos-Dumont já tinha enorme conhecimento dos avanços e tentativas de seus antecessores e contemporâneos.

É claro que toda essa observação e vivência contribuíram para suas descobertas progressivas. Como menciona o escritor Steven Johnson, autor de *Where Good Ideas Come From*, ótimo livro lançado em 2010, boas ideias são construídas a partir de uma reunião de elementos existentes que, no caso de nosso genial inventor, certamente foram muito bem absorvidos e reprocessados. Johnson defende a concepção do "possível adjacente" na marcha do progresso científico, termo cunhado pelo biólogo norte-americano Stuart Kauffman no contexto dos estudos da origem da vida.

No âmbito da inovação, essa ideia aponta que, em se tratando de tecnologia e ciência, apenas são concebidos certos tipos de próximos passos. Alguns exemplos são fornecidos para embasar o argumento. A prensa móvel só teria se viabilizado depois dos tipos móveis, a tinta e o papel, enquanto o Youtube só se transformou em sucesso porque hoje as pessoas têm acesso à banda larga e a câmeras filmadoras compactas e baratas. Em trecho de seu diário, *O que eu vi, o que nós veremos*, Santos-Dumont ilustra e reforça a noção do "possível adjacente" e da importância das conexões de informação em sua época. Ele escreve:

> É que o inventor, como a natureza de Linneu, não faz saltos: progride de manso, evolui. Comecei por fazer-me bom piloto de balão livre e só depois ataquei o problema de sua dirigibilidade. Fiz-me bom aeronauta no manejo dos meus dirigíveis; durante muitos anos, estudei a fundo o motor a petróleo, e só quando verifiquei que seu estado de perfeição era bastante para fazer voar, ataquei o problema do mais pesado que o ar.

Por sua vez, Thomas Edison não foi precisamente o "inventor" da lâmpada. O Wikipedia relata estudos elaborados por dois historiadores, Robert Friedel e Paul Israel, listando 22 inventores que trabalharam no desenvolvimento da lâmpada incandescente antes de Joseph Wilson Swan, britânico, e do próprio Thomas Edison, que obtiveram suas patentes no final da década de 70 do século XIX, iniciando a aplicação comercial do invento. De 1802 a 1878, muitos pesquisadores na Inglaterra, Rússia, Estados Unidos e França também se dedicaram ao projeto da lâmpada, como Santos-Dumont e os irmãos Wright, que trabalharam com afinco no desenvolvimento do avião. A grande contribuição de Edison foi o aperfeiçoamento da lâmpada, antes de seus concorrentes, testando novos materiais que a mantinham acesa por mais tempo, impulsionando seu uso comercial e a adoção em maior escala. É claro que Edison e Santos-Dumont não partiram do zero, mas absorveram o conhecimento anterior e testaram novas possibilidades até alcançar o sucesso.

O desenvolvimento do telefone também é fartamente documentado, com destaque em geral para o escocês Alexander Graham Bell como seu inventor embora vários outros pesquisadores disputem esse crédito, como Antonio Meucci, Elisha Grey e Johan Phillipp Reis. Resultado dos avanços obtidos no desenvolvimento dos telégrafos elétricos durante o século XIX, o telefone foi viabilizado pelo trabalho de muitos pioneiros.

Na 3M, influenciado pelo paradigma dos "grandes heróis", acreditei por anos que nossa empresa havia inventado sozinha a mídia magnética, primeiramente as fitas de áudio, em parceria com a Ampex e o estúdio do cantor Bing Crosby, e depois as fitas de vídeo, grandes invenções dos anos 1940 e 1950, que liberaram os artistas de rádio e TV da obrigatoriedade e do estresse dos programas ao vivo, e ajudaram no desenvolvimento da indústria do entretenimento. Na verdade, muitas empresas nos Estados Unidos e na Europa, especialmente a BASF e pesquisadores alemães envolvidos nos esforços da Segunda Guerra Mundial, dedicaram-se a buscar essa inovação. O fato é que a 3M, como Edison, foi realmente a primeira a lançar um produto no mercado com qualidade suficiente para lograr seu uso comercial.

Como veremos adiante, é muito importante a etapa de execução no processo de gestão das inovações. As ideias da lâmpada, do telefone, do avião e da fita magnética estavam "na atmosfera", processadas por muitas mentes inventivas em vários continentes, mas Edison, Graham Bell, Santos-Dumont e a 3M foram mais eficientes no processo de desenvolvimento, tanto na etapa criativa não linear, como no plano disciplinado da execução.

Ambientes inovadores

Não pretendo, de forma alguma, ofuscar a genialidade ou diminuir o valor da fantástica contribuição de ilustres inovadores. Apenas quero deixar clara a importância, em qualquer circunstância, do conhecimento anterior, das oportunidades de aprendizagem, das experiências de vida, das possibilidades para discussões e questionamentos, enfim, de interações sociais em ambientes estimulantes para que as ideias surjam, fluam, choquem-se e se combinem, transformem-se e se reconfigurem, de forma brilhante, inédita, original.

Se concluímos que as inovações nascem da colisão de ideias, na qual uma porta leva a outra, e conhecimentos acumulam e se reorganizam, em condições favoráveis – com exemplos como a história do desenvolvimento do buscador Google, a rede social Facebook, o processo da descoberta da estrutura do DNA pela dupla Watson e Crick na Universidade de Cambridge –, o grande desafio é montar em nossas organizações, cidades e universidades os mesmos ambientes de inconformismo e efervescência que permitam ampliar o conhecimento e estimulem a curiosidade, o questionamento, a apresentação de novas propostas e o desejo de transformação.

De alguma forma, gostaríamos de reproduzir em nosso universo a mesma atmosfera dos cafés europeus do século XVIII, dos centros culturais paulistanos do movimento modernista, da experimentação musical dos festivais brasileiros dos anos 1960, do cenário de empreendedorismo do Vale do Silício ou mesmo de versões brasileiras respeitáveis, como os polos de tecnologia em Santa Rita do Sapucaí em Minas Gerais, o Centro de Estudos e Sistemas Avançados do Recife (C.E.S.A.R.) e o de São Carlos, no Estado de São Paulo, pela ação de suas universidades e seus empresários.

Para criar esse ambiente é preliminar lembrar aspectos já citados. Dificilmente construiremos uma arena de iniciativas e conexões se as pessoas não gozam de autonomia, trabalham sem propósitos relevantes, não experimentam uma comunicação transparente e esclarecedora e enfrentam um universo hostil, intolerante e conservador, resistente a mudanças e questionamentos.

Entretanto, além de garantir esses pré-requisitos, uma empresa pode desenvolver muitos mecanismos para forjar uma imensa e vigorosa rede de colaboração com impacto na inovação.

Organizações muito hierarquizadas, divididas em feudos administrativos, que apostam na postura incontestável de chefes todo-poderosos, que negam acesso entre as pessoas, especialmente aos líderes de maior nível, e que não se abrem com liberdade para discussões, contra-argumentações e críticas construtivas, bloqueiam a vitalidade de suas redes internas.

Costumo me lembrar da primeira vez em que fui sorteado entre os funcionários da 3M para preencher um questionário, parte do processo de definição das melhores empresas para se trabalhar, promovido pelo Grupo Abril há muitos anos. Uma das questões investigava se, na empresa em que atuava, era permitido acesso aos principais dirigentes da companhia. Confesso que me surpreendi com a pergunta, pois, inocentemente, nunca imaginei naquela época que qualquer organização pudesse dificultar esse acesso.

Na 3M, temos uma estrutura tradicionalmente hierarquizada, com diversos níveis, mas nossa cultura sempre permitiu livre acesso a qualquer pessoa de qualquer área. Há uma integração muito grande dos funcionários em trabalhos internos e eventos não profissionais. É verdade que temos desafios, como toda empresa global e diversificada, para integrar tantos grupos de negócios que operam em mercados tão distintos. Porém, conseguimos manter um espírito de cooperação muito forte em nossa cultura, independente das estruturas.

Há quem aposte em estruturas mais horizontais, com menos níveis hierárquicos, como é o caso do Google, com seus 25 mil funcionários espalhados pelo planeta, o que lhes proporciona uma rede de colaboração bastante integrada e veloz.

Como exemplo extremo, muito usual nas discussões sobre inovação, é citada a empresa W. L. Gore and Associates, fabricante de itens de alta tecnologia para indústria eletroeletrônica, saúde e indústria geral, como os célebres tecidos de alta performance Gore-tex® e as cordas de guitarra Elixir®. Há dezenas de livros e artigos sobre a empresa norte-americana que vangloriam sua inovação organizacional, tão horizontal que os títulos de cargos são praticamente inexistentes e as lideranças emergem naturalmente pela aceitação dos próprios funcionários em cada projeto.

No Brasil, a Promon é um dos maiores cases de sucesso na estruturação de uma organização inovadora. Desde os anos 1970, quando os funcionários foram convidados a se tornar acionistas, desenvolveu-se o espírito de uma grande comunidade que compartilha intensamente informações, conhecimento e resultados, ao mesmo tempo que é instada a participar de importantes decisões estratégicas, da escolha dos dirigentes e dos ganhos e riscos de investimentos da empresa.

Além da redução de níveis hierárquicos, muitas organizações têm atuado estrategicamente para criar ambientes físicos que privilegiem o trabalho em equipe e a colaboração entre funcionários. Para construir espaços estimulantes e integradores, derrubam-se baias, substituem-se escritórios individuais por grandes mesas coletivas, usam-se cores atraentes e muitos outros truques. Nesse modelo, são famosos alguns escritórios do Google, da Pixar, Red Bull e Nokia, entre outros, que despertam grande admiração no mundo corporativo.

No Brasil, recentemente, um dos maiores exemplos dessa tendência foi a experiência promovida pela Philips em 2010. A administração da empresa holandesa mudou seu escritório da zona sul de São Paulo para a região de Alphaville, no município de Barueri. Lá não foram previstos lugares fixos para os funcionários; eles podem escolher a mesa de trabalho a cada dia, pois não dispõem mais de um bunker pessoal e não contam com abundantes gavetas e armários ao seu redor. A Dow também retirou divisórias e derrubou paredes para montar um ambiente aberto e moderno. Na 3M, aplicamos esse conceito em alguns países como o México e já planejamos movimentos nessa direção para a subsidiária brasileira.

Outra opção intensamente estimulada é o home office amparado em ferramentas de tecnologia para comunicação a distância. Além de promover maior integração e eliminar a formalidade e os velhos benefícios dos níveis mais altos, a estratégia dos novos escritórios abertos e do teletrabalho requerem muitas mudanças culturais da empresa e profunda transformação dos hábitos de cada profissional.

Gestão do conhecimento nas organizações

Atualmente, os processos de gestão do conhecimento em uma organização também são fundamentais para potencializar os resultados de inovação ao aumentar sua capacidade de criar conhecimentos novos, disseminá-los e incorporá-los em produtos e serviços, processos e modelos. A American Productivity and Quality Center define que gestão do conhecimento é a abordagem sistemática, integrando pessoas, processos, tecnologia e conteúdo, que permite criar e direcionar a informação e o conhecimento para as pessoas certas, no tempo correto, a fim de que o trabalho e as decisões agreguem valor à missão da organização.

Desde os anos 1990, a gestão do capital intelectual nas organizações – os fatores humano, estrutural, ambiental e de relacionamento – ganhou mais destaque como motor para alavancar a competitividade, com as empresas priorizando investimentos em mecanismos de aprendizagem organizacional e buscando fortalecer o vínculo com suas estratégias de inovação.

Universidades corporativas, comunidades de prática, grupos de trabalho, redes sociais, fóruns temáticos, encontros regulares para troca de experiências, mecanismos de registro das lições aprendidas na gestão de projetos diversos, bancos de dados e tantos outros tópicos, passaram a ser enfatizados e desenvolvidos nas empresas ao mesmo tempo em que se estruturavam formalmente funções específicas de gestão do conhecimento.

Natura e Vale são exemplos de organizações que unem estruturas de gestão da inovação e gestão do conhecimento, reconhecendo a estreita afinidade entre os dois universos.

É importante destacar a importância da tecnologia da informação para dar suporte aos processos de gestão do conhecimento, como na estruturação de bancos que registrem o conhecimento explicitado pelos funcionários a partir de seus projetos e experiências, bem como dos canais de colaboração.

Naturalmente, a tecnologia cria uma parte fundamental da equação, porém há outros pontos críticos. Se os conteúdos disponíveis não forem relevantes ou não tiverem qualidade, ou ainda se o acesso às informações for pouco prático, a probabilidade de sobrevivência destes canais é mínima. Além disso, há sempre a questão cultural envolvida quando criamos a expectativa de que nossos funcionários se sirvam desses bancos como ferramenta diária.

A IBM é um expoente na aplicação do potencial da tecnologia da informação para a gestão do conhecimento, comunicação e inovação, tanto como uma das principais fornecedoras desses serviços como usuária entusiasmada em seus próprios processos. Alguns de seus filmes publicitários divulgam sua capacidade diferenciada de analisar as informações do passado para gerar um novo conhecimento que permita "prever o futuro", ou melhor, conduzir seus clientes a decisões de negócio mais inteligentes. Novamente, ela oferece o serviço deste know-how extremamente diferenciado baseado no conhecimento, ao mesmo tempo que o aplica em seu próprio universo para o sucesso de suas próprias estratégias.

Ela ainda disponibiliza serviços para que os funcionários de seus clientes e seus quase 400 mil colaboradores possam conectar-se, iniciar discussões, conduzir painéis, entre outras atividades relacionadas à formação e ampliação de conhecimento.

Uma notável experiência implementada pela IBM há alguns anos para promover novas ideias de negócios foi o Innovation Jam, um grande fórum eletrônico global, restrito a convidados especialmente selecionados, incluindo funcionários, clientes e parceiros, que estimulava o debate sobre alguns focos previamente priorizados pela própria empresa com duração limitada a três dias.

A participação das pessoas foi surpreendente, bem como o nível das discussões, o que gerou uma quantidade avassaladora de boas ideias e insights, muitos dos quais serviram de base para projetos de novos serviços desenvolvidos posteriormente pela IBM.

A 3M do Brasil, inspirada pela iniciativa da IBM, também desenvolveu projeto similar no país, implementando em 2009 um fórum eletrônico pioneiro na área de odontologia, com ótimos resultados, e se prepara para novos esforços nesse campo em alguns de seus mercados de atuação.

Porém, independente da tecnologia, muito antes do surgimento da internet e de redes sociais, algumas empresas já investiam havia muito tempo no desenvolvimento de comunidades de prática, grupos de pessoas que compartilham e aprendem, unidos por interesse comum em determinado conhecimento e movidos por um desejo e necessidade de dividir problemas, experiências, insights e ferramentas.

Na 3M, uma das mais antigas e consolidadas comunidades é o Fórum Técnico, fundado em 1951. Há seis décadas, cientistas e técnicos da companhia se conectam para desenvolver suas habilidades e compartilhar conhecimento. Em seus primeiros anos, a interação em eventos presenciais era a atividade principal. Convidados externos expunham suas experiências e visões de mundo, ao passo que cientistas internos apresentavam seus trabalhos. O conhecimento gerado no processo de aprendizagem da companhia era registrado, organizado e disponibilizado. Um pesquisador 3M teria alta probabilidade de conhecer descobertas, erros e desafios de seus colegas e, também, do mundo exterior à 3M, se frequentasse as reuniões do grupo, visitasse as bibliotecas da empresa, lesse os periódicos científicos internos, transitasse pelos diversos laboratórios, desfrutando sempre do ambiente de cooperação e união deste time de profissionais.

Muitas empresas organizam seus fóruns de conhecimento, reunindo regularmente um grupo de funcionários para ouvir experiências inspiradoras de empreendedores, experts de gestão da inovação, artistas e realizadores excepcionais, com o objetivo de trazer visões "de fora para dentro" e contagiar a audiência.

Meus colegas da 3M e eu já tivemos a honra de participar de centenas de eventos do gênero, sempre com grande interesse das plateias e ótimas discussões. Assim, louvamos iniciativas de empresas como o Grupo Abril, o Itaú e o Hospital São Luiz que investem fortemente neste tipo de atividade de capacitação motivadora.

Internamente, a 3M também cultiva sessões planejadas para essas reciclagens e oxigenação de ideias em diversas áreas, além do universo de Pesquisa & Desenvolvimento, como o "Marketing Fórum", a Comunidade de Supply-Chain e os Encontros de Manufatura.

Podemos concordar que nada supera a oportunidade de convívio direto e integração presencial. Entretanto, atualmente a tecnologia tem o poder de levar essa interação a outro patamar, com comunicação em tempo real, webinars, biblioteca de vídeos e imagens, entre tantas ferramentas facilitadoras.

Marcelo Tambascia, gerente técnico experiente e um dos maiores embaixadores da inovação da 3M, relata a facilidade que certos mecanismos proporcionam na produção de conhecimento nos dias de hoje. Os mais de 10 mil cientistas e técnicos da 3M estão conectados globalmente em rede e podem enviar perguntas, pedir opiniões, tirar dúvidas e trocar ideias com velocidade espantosa. Muitos sabem que esse ambiente de grande estímulo para a troca de ideias fez com que Art Fry, um cientista da 3M, tomasse conhecimento de uma experiência realizada por um colega de outra área, Spencer Silver, criador de um adesivo fraco, que não colava de forma permanente. Tendo acesso a esse conhecimento e ao inventor, Fry pôde desenvolver uma aplicação inovadora, criando os blocos de recado autoadesivos Post-it®. No entanto, foram consumidos cinco anos entre a invenção do adesivo e a ideia para o novo e revolucionário produto. Claro que há muito mais complexidade nesta história, mas é interessante imaginar que hoje esse tempo poderia ser abreviado, pois Spencer teria a opção de enviar uma pergunta para a rede social dos cientistas, contando sobre seu projeto e pedindo ajuda. Sua hipotética mensagem poderia ser: "Oi, aqui é o Spencer da área de adesivos industriais. Desenvolvi um adesivo com microesferas de vidro para aplicação na indústria que deveria ter força extrema. Porém, o produto ficou fraco, sem proporcionar adesão permanente. Curioso: essa cola gruda e desgruda várias vezes, mas não consigo pensar em nenhuma aplicação possível que seja útil. Alguma ideia?". Provavelmente, em poucas horas, o inventor receberia muitas sugestões.

Outra atividade muito interessante que organizamos na 3M com foco em integrar áreas e intensificar os processos de aprendizagem para a inovação é o "Innovation Day". Na 3M do Brasil, semestralmente organizamos uma espécie de Mostra de Projetos Inovadores, com um modelo que remete às Feiras de Ciências escolares, nas quais cientistas, profissionais de marketing e outros colegas apresentam seus trabalhos em ambiente informal e criativo, divulgando protótipos, modelos, ou mesmo produtos novos recém-lançados, materiais de ponto de venda, ações de e-marketing, entre outros.

Tais eventos reúnem milhares de funcionários que se sintonizam com os projetos em desenvolvimento. Em contrapartida, os encontros possibilitam questionamentos, sugestões de melhorias, oportunidades de parceria e de novos projetos futuros. Esse modelo do "Innovation Day" se repete em muitas subsidiárias da companhia, por todo o planeta.

Alguns bancos de dados também potencializam essa integração e praticamente toda categoria de profissionais possui sua área de compartilhamento de conhecimento. Em 2011, na 3M, relançamos a Comunidade Internacional de Marketing, com centenas de comunidades agrupadas ao redor de temas de interesse e intensa participação dos funcionários.

Em nossa experiência com a metodologia Seis Sigma, desde 2001 registramos todos os milhares de projetos no banco de dados da iniciativa, compondo um material riquíssimo de análise, comparação e lições aprendidas.

Para introdução de novos produtos, todos os projetos da companhia, dos diversos países, são registrados e regularmente atualizados, permitindo a visualização geral por parte das lideranças e dando acesso para os cientistas aos trabalhos de seus colegas.

"Novas ideias surgem das diferenças. Elas surgem quando há diferentes perspectivas e uma justaposição de diferentes teorias."
Nicholas Negroponte, cientista norte-americano

Diversidade: ferramenta estratégica

A diversidade é outro fator-chave para a inovação. É bastante óbvio que em determinado ambiente, em que as pessoas possuem experiências similares, repertórios parecidos, comportamentos próximos, prioridades e juízos de valor iguais, o grupo se inclina para uma repetição monótona, um padrão previsível, enfrentando as barras de uma verdadeira prisão de familiaridade.

Pode até ser mais confortável para os grupos sociais, entretanto nada é mais danoso para a inovação de longo prazo do que o cenário em que os membros do time rezam exatamente pela mesma cartilha, usando as mesmas lentes para analisar oportunidades e conceber ideias.

Um dos segredos é preparar os líderes para que fiquem atentos a essa armadilha ao desenvolver e compor seus times. O departamento de Recursos Humanos também pode atuar de forma decisiva e contribuir para elevar o grau de diversidade da organização, participando ativamente das atividades de recrutamento e seleção dos diversos departamentos.

Cada área da empresa pode optar por conjugar diversas visões de mundo, experimentando um rico ambiente multifacetado e colorido. Além de contemplar o equilíbrio desejado das participações de sexo, raça e idade, entre outros aspectos, é muito positivo que a diversidade de perfis, formações e experiências impacte a formação das equipes.

Uma boa manifestação da diversidade ocorre quando a empresa estrutura grupos multidisciplinares de trabalho, mecanismos geralmente caracterizados pela pluralidade, mais eficientes para buscar soluções de problemas complexos. Novamente, habilidades e conhecimentos complementares produzem melhores resultados do que esforços individuais.

Aposto que você deve ter participado de grupos na empresa, na universidade ou em outras esferas, que conseguiram gerar mais e melhores ideias, questionamentos e planos, se comparados com um esforço individual. Na 3M, temos longa experiência de oferecer grandes desafios para equipes temporárias, com ótimos resultados. Em nossa cultura, frequentemente recorremos a essas estruturações para enfrentar projetos complexos e metas altamente desafiadoras.

O job rotation é outra prática interessante para favorecer a aprendizagem organizacional, na medida em que contribui para amplificar as experiências, os relacionamentos e o conhecimento dos funcionários. Em empresas muito diversificadas como Dupont, GE e 3M, os funcionários podem se candidatar para funções em outras divisões e assim explorar novos universos de conhecimento, estabelecer novos contatos, absorver conceitos e maneiras diferentes de realizar o trabalho. Em contrapartida, eles também carregam consigo seu repertório e suas experiências que também vão influenciar sua nova área de trabalho, produzindo um blend com potencial inovador.

Minha própria experiência profissional na 3M é resultado da prática intensiva do job rotation. Em pouco mais de uma década e meia na companhia, atuei em seis áreas, quase sempre no setor de marketing e vendas. Passei meus primeiros anos na divisão de reparação automotiva; depois, trabalhei na unidade de saúde ocupacional; uma oportunidade de dirigir uma divisão me levou para a área industrial de fitas adesivas e o convite para um grande desafio me conduziu para a gestão dos negócios de papelaria; a participação no programa de desenvolvimento de lideranças me permitiu atuar como black belt para os mercados de saúde, e hoje me tornei responsável pela área de marketing corporativo. Numa mesma empresa, tive a possibilidade de desenvolver potenciais em universos distintos que me impuseram desafios e dinâmicas muito diferentes. Compartilhei meus conhecimentos com todos os colegas dessas divisões ao mesmo tempo que aprendi muito com cada um deles. Construí uma sólida rede de relacionamentos e ideias com todas essas influências e pontos de contato.

A intensa experiência de job rotation, numa empresa como a 3M, é bastante comum. Muitos funcionários poderiam relatar as mesmas histórias, comprovando meu testemunho favorável a respeito do poder da diversificação de experiências e desafios para o crescimento profissional e, em especial, para proporcionar novas abordagens, ideias e insights no processo de inovação.

Polinização cruzada de ideias

A 3M tem muitos exemplos que ilustram as vantagens de construir um ambiente rico em colaboração, por meio do qual pessoas movidas pela curiosidade e vontade de fazer a diferença compartilham conhecimentos e tecnologias.

Emprestando o termo da polinização cruzada das flores, algumas organizações criam um sistema em que as ideias se espalham e caem em solos férteis, em outros contextos, semeando novas ideias. Às vezes, algumas sementes não germinam, levando a patentes ou modelos de insucesso. No entanto, ainda assim, podem contribuir com aprendizado e inspiração para novos projetos que vingarão, liderados por empreendedores diversos e guiados por um propósito.

As lentes Fresnel foram inventadas no início do século XIX pelo francês Augustin-Jean Fresnel. Originalmente, eram feitas de vidro espesso e utilizadas nos faróis de sinalização para navegação.

Nos anos 1950, cientistas 3M que trabalhavam no desenvolvimento de retroprojetores, desenvolveram uma nova maneira de obter as mesmas propriedades das lentes, incorporando milhares de minúsculas ranhuras sobre uma superfície plástica. As novas lentes eram leves, finas, muito mais econômicas e tornaram a 3M a empresa líder em um novo mercado de Sistemas Visuais. Naquele momento, os pesquisadores atuavam como pioneiros de uma nova plataforma tecnológica – a microrreplicação.

Nos anos seguintes, o conhecimento sobre microrreplicação foi construído e disseminado internamente entre os cientistas das diversas áreas da companhia.

Algum tempo depois, outros cientistas aplicaram a microrreplicação para construir materiais de sinalização de tráfego, desenvolvendo os refletivos com "Grau Diamante", o que revolucionou o mercado e ofereceu mais segurança para as vias públicas.

Da área de soluções para controle de tráfego, o sopro dos ventos da inovação carregou ideias da microrreplicação para o segmento de produtos eletrônicos, criando um filme óptico para "gerenciamento de luz", utilizado em telas de LCD de televisores, laptops e outros aparelhos, realçando a qualidade das imagens e contribuindo para a economia de energia.

No quadro a seguir, conseguimos visualizar a "mágica" da polinização cruzada revertida em patentes e inovações no ambiente de intensa colaboração 3M. Na década de 1950, o cientista Al Boese dedicava-se a estudar as possibilidades de aplicação de novos materiais chamados não tecidos. Depois de anos de investigação, ele criou as populares fitas decorativas sintéticas para laços de presentes, usadas em todo o planeta, abrindo muitas oportunidades de desenvolvimento para a plataforma tecnológica desses materiais.

Com os recursos de gestão do conhecimento e cultura de inovação, essas fibras especiais foram combinadas com grãos abrasivos, dando origem a esponjas, usadas inicialmente na indústria para operações de lixamento leve, e depois nos itens de limpeza doméstica Scotch-Brite[MR]. Com a participação de especialistas de outras áreas, a tecnologia derivou para produtos de isolamento acústico e térmico Thinsulate™, mantas cerâmicas para conversores catalíticos automotivos Interam®, respiradores sem manutenção, mantas de absorção de óleo, fitas filamentosas, tapetes Nomad™ e muitos outros itens, gerando um fluxo infinito de inovações.

Quadro 6.1 Polinização cruzada de ideias

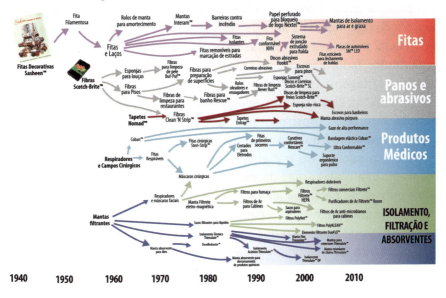

Fonte: Seminários de Inovação 3M.

"Na longa história da humanidade (e do animais também), aqueles que aprenderam a colaborar e improvisar foram os que prevaleceram."
Charles Darwin, naturalista inglês

Redes de conhecimento "para fora": a inovação aberta

Se já concluímos que é essencial para a inovação o estabelecimento desse ambiente de cooperação e aprendizagem contínua entre os funcionários, vale acrescentar que nos últimos anos tem sido enfatizada a necessidade de estruturação de uma rede que não se limite ao âmbito interno da organização.

Em 2003, o professor Henry Chesbrough, da Universidade da Califórnia, publicou o livro Open innovation, que consagrou o termo inovação aberta e suas características.

De um lado, está o sistema fechado de inovação, cujo modelo foi descrito parcialmente no Capítulo 3, com a trajetória dos grandes laboratórios corporativos de pesquisa do século XX. Nesse paradigma, as fronteiras da organização são bem definidas e pouco permeáveis; todas as etapas de pesquisa, desenvolvimento e comercialização são realizadas internamente, operadas exclusivamente pelos recursos internos; o foco maior está na área de tecnologia; as patentes são protegidas e potencialmente usadas apenas pela própria empresa que as criou.

Do outro lado, caracteriza-se o novo sistema aberto de inovação. Nessa abordagem, as fronteiras da organização são permeáveis, abertas a conexões com diversos agentes externos, como clientes, universidades e fornecedores; conta-se tanto com recursos internos como com os inovadores de fora da organização, para as diversas fases da inovação; o escopo de trabalho é mais amplo do que a tecnologia, envolvendo também áreas de embalagem, design, marca, engenharia, entre outras; as patentes ainda são importantes e protegidas, mas se cogita o licenciamento de tecnologias desenvolvidas por outros, bem como a permissão do uso das patentes da empresa por terceiros.

O aumento da disponibilidade e mobilidade dos trabalhadores do conhecimento, o fortalecimento do mercado de capitais de risco, as crescentes opções externas para desenvolvimento de ideias, o impacto da globalização, os custos e riscos de se investir em estruturas independentes e isoladas de pesquisa, os avanços tecnológicos das últimas décadas, entre outros, são apontados por Chesbrough como fatores da erosão do modelo da inovação fechada, que pressionam as companhias a buscar um sistema mais flexível, veloz, econômico e eficiente para a inovação.

Em 2004, C.K. Prahalad e Venkat Ramaswamy publicaram outro livro de grande impacto para a gestão da inovação chamado *The Future of Competition*. Nessa obra, estabeleceram uma nova visão absolutamente bem sintonizada com as transformações sociais, econômicas e tecnológicas do início do século XXI, em que os clientes tornam-se muito ativos e engajados no processo de criação de valor junto à empresa, não se limitando mais a uma participação passiva de consumo. Essa experiência de cocriação por meio de interações personalizadas e relevantes com consumidores específicos é vista, desde então, como base da criação de valor para a competitividade das empresas. Na verdade, caracteriza-se como processo pelo qual produtos, serviços e experiências são desenvolvidos por todos os stakeholders (e não apenas pelos consumidores).

Essa orientação estratégica teve momento simbólico dos mais destacados quando a capa da edição de 2006 da revista Time exibiu a imagem de uma tela de computador, na qual aparecia o texto "Você", em homenagem à "Personalidade do Ano", respeitando o fenômeno de que a Era da Informação é controlada pelo indivíduo, pela pessoa comum.

A empresa mais destacada nos esforços desse modelo de inovação aberta tem sido a Procter & Gamble, que há alguns anos estruturou um ousado programa em que lançou um canal aberto para sugestão de novos produtos e tecnologias chamado Connect & Develop.

Em 2004, A.G. Lafley, presidente da empresa na época, promoveu uma guinada substancial de gestão, propondo a criação de uma "fábrica de novo crescimento", com profunda sensibilização dos executivos para o tema da inovação, alocação de estruturas organizacionais focadas, novos processos e ferramentas, além da abertura cultural para parcerias por meio de redes externas, com o estabelecimento de relações com universidades, laboratórios, investidores de capital de risco e empreendedores.

A partir da consolidação dessa concepção estratégica, passamos a acompanhar com mais frequência grande quantidade de empresas investindo para instaurar um novo relacionamento com seus clientes, convidando-os a cocriarem valor.

Entre alguns exemplos de repercussão, constam as iniciativas da Nike, que incorporou um espaço ampliado de relacionamento com o seu público através da plataforma Nike+; o website IdeaStorm da Dell, lançado em 2007 para envolver ativamente consumidores na geração de ideias e avaliação das atividades da empresa; a onda de comerciais criados por consumidores, estimulados por companhias como Pepsico (Frito Lay/Doritos) e GM, com enorme visibilidade em eventos como o Super Bowl e posterior viralização na internet; a reformulação estratégica implantada pelo hospital brasileiro Moinhos de Vento, com base na percepção de enfermeiras, médicos, pacientes, familiares e seguradoras; os acessórios oferecidos pela Fiat para que o motorista customize seu novo Uno e, obviamente, milhares de negócios na internet que requerem geração de conteúdos, votação, comentários e tantas outras atividades de engajamento dos internautas.

É absolutamente imperativo que as empresas estabeleçam plataformas de cocriação nos tempos atuais. Como aponta Peter Fisk em seu livro *Creative Genius*, essa colaboração entre organizações e indivíduos é muito positiva. De um lado, os negócios possuem experiência na indústria, capacidades técnicas, capital para investir, processos de desenvolvimento. De outro lado, os clientes possuem experiência prática, necessidades e desejos, dinheiro para consumir, novas ideias e "um monte de amigos para quem falar das novidades". Juntos, empresas e clientes podem cocriar nas fases de concepção, design, testes, desenvolvimento e marketing, gerando valor em diversas atividades de parceria.

A coavaliação permite testar ideias com clientes, utilizando seus inputs no desenvolvimento, engajando-os até um ponto em que se tornam embaixadores do produto e marca. É isso o que acontece quando a Nike testa calçados com atletas de elite em diversas modalidades; a Speedo desenvolve suas roupas especiais para esportes aquáticos com os grandes nadadores; a Gore avalia seus tecidos especiais com os profissionais de serviços de emergência e montadoras verificam o desempenho de seus veículos com pilotos experientes em campos de provas e competições.

A 3M faz coavaliações com usuários de seus produtos há décadas. Perdi a conta de quantas vezes acompanhei nossa equipe técnica às principais oficinas de reparação do país para desenvolver e testar produtos como polidores, abrasivos, fitas, selantes e outros insumos. Na área de produtos odontológicos, acompanhei diversos painéis e programas de avaliação de novos produtos com destacados professores de universidades e profissionais experientes que colaboram com as inovações da 3M Espe. Na área de saúde ocupacional, muitos stakeholders são envolvidos no desenvolvimento de nossos Equipamentos de Proteção ao Trabalhador (EPIs). Esse envolvimento dos clientes é uma constante no processo de criação da 3M.

O codesenvolvimento pressupõe que os clientes possam ter capacidades técnicas e paixão por desenvolver e aperfeiçoar produtos no mesmo nível que as equipes internas da empresa. Consta que o modelo de aeronave 787 Dreamliner foi concebido em parceria com clientes da Boeing. Tenho muitos colegas que já personalizaram seus próprios calçados por meio da plataforma Nike ID Design. Clientes da Lego podem sugerir projetos aos designers da empresa no ambiente Lego Factory.

A cocomunicação ocorre quando os clientes colaboram para divulgar produtos e serviços e contribuem para reforçar a reputação das empresas, tornando-se leais advogados das marcas. Isso pode vir em formas de "ratings & reviews" (notas e avaliações que os consumidores fazem dos produtos, geralmente em sites de e-commerce), declarações, depoimentos, peças publicitárias espontâneas e outros exemplos até maiores de ativismo digital que podem inundar o website da empresa, as redes sociais e o Youtube.

Covendas são uma modalidade em que clientes são estimulados a converter amigos em novos clientes, obtendo alguma recompensa como brindes, descontos e até mesmo remuneração. É o caso de muitas escolas e faculdades que oferecem alguma "vantagem" para alunos que trazem novos alunos à instituição.

Obviamente, parcerias devem acontecer também entre empresas. Podem assumir diversas formas, como o licenciamento de tecnologias, marcas e recursos; consórcios e joint ventures, entre outros.

Independente do formato legal, as organizações podem colaborar intensamente com a troca de experiências e conhecimentos em projetos específicos. A Embraer já nos reportou a preciosa colaboração da BMW em aspectos estratégicos no desenvolvimento de seus jatos executivos. A Apple adicionou valor ao seu sistema iTunes com parcerias importantes com as principais gravadoras e estúdios, para viabilizar acesso legal a seu vasto conteúdo de entretenimento. A Souza Cruz e o Grupo Abril podem oferecer sua rede de distribuição nacional para compartilhamento com grupos interessados em usar essa estrutura eficiente e de alta capilaridade.

A 3M muito tem colaborado com diversos parceiros para compartilhar conhecimentos de gestão da inovação, sustentabilidade e lean manufacturing, ao mesmo tempo que aprende mais com os seus parceiros sobre inteligência de negócios, gestão de marcas e outros processos.

No próximo capítulo, serão apresentadas mais informações a respeito da implantação de processos de inovação aberta para potencializar a geração de ideias e as estratégias de inovação e negócios das organizações.

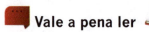 Vale a pena ler

JOHNSON, Steven. *Where good ideas come from:* the natural history of innovation. New York: Penguin, 2010.

CHESBROUGH, Henry William. *Open innovation:* the new imperative for creating and profiting from technology. Cambridge: Harvard Business School, 2006.

RAMASWAMY, Venkat; GOUILLART, Francis. *A empresa cocriativa.* São Paulo: Campus, 2010.

PRAHALAD, C.K.; RAMASWAMY, Venkat. *O futuro da competição.* Rio de Janeiro: Campus, 2004.

RODRIGUES, Martiuz. *Gestão do conhecimento e inovação nas empresas.* Rio de Janeiro: Qualitymark, 2011.

Mãos à obra: perguntas para reflexão e ação

Sua organização tem um ambiente que estimule a colaboração entre as pessoas?

Você tem uma atitude positiva de cooperação, permitindo acesso a outros colegas que desejam aprender com sua experiência ou sugerir ideias?

Que atividades são desenvolvidas na sua organização para promover internamente o intercâmbio de ideias e experiências?

Pense na equipe em que você trabalha. Você acha que existe uma diversidade positiva de ideias neste grupo? E na sua empresa como um todo?

Como a tecnologia está contribuindo para a interação das pessoas na sua organização?

Como você avalia os processos, repositórios, bancos de informação, fóruns e outras ferramentas de registro e disponibilização de conhecimento a que tem acesso?

Sua organização já incorporou o conceito da Inovação Aberta? Pense em algumas iniciativas implementadas em sua organização para cocriar com parceiros externos.

Case Agência de Inovação Inova Unicamp

Conteúdo construído a partir de informações e revisão de Roberto Lotufo, diretor-executivo da Agência Inova Unicamp

Nas três últimas décadas, registrou-se um crescente esforço global de formulação de políticas públicas, marcos regulatórios, iniciativas e planos que buscam estimular as parcerias público-privadas para potencializar o desenvolvimento econômico e social a partir do uso intensivo do conhecimento, da ciência e da tecnologia.

As universidades integram essa força-tarefa e percebem sua missão como mais abrangente do que a produção e a disseminação do conhecimento. Nesse sentido, elas passaram a exercer um papel mais proativo nos sistemas de inovação, buscando formas de se relacionar com o setor produtivo de modo a promover o desenvolvimento tecnológico junto às empresas, sem comprometer os valores acadêmicos.

Para isso, as universidades passaram a se preocupar em implantar políticas de proteção e transferência dos resultados de suas pesquisas, constituindo estruturas que estimulem parcerias com empresas, setor público, institutos e fundações, como a Agência de Inovação Inova Unicamp, criada em 2003.

É preciso dizer que esse é um posicionamento recente no Brasil, e que está alinhado com grande parte das instituições de pesquisa bem-sucedidas em vários países. Essas instituições combinam excelência acadêmica e competência empreendedora.

Além disso, um dos focos centrais da universidade do século XXI passou a ser a formação de profissionais que tenham a visão do processo de inovação e entendam como o conhecimento científico deve contribuir para que as empresas o utilizem no desenvolvimento tecnológico do país.

Os alunos de nossas instituições de ensino serão os futuros agentes do desenvolvimento tecnológico ao utilizarem o conhecimento adquirido durante seus estudos e pesquisas para gerar inovação nas empresas ou criar empresas tecnológicas de alto impacto.

Ao mesmo tempo, diante do atual cenário extremamente competitivo e dinâmico, as empresas vêm se conscientizando da importância em adotar estratégias e processos de inovação para o crescimento de seus negócios. Nesse movimento, muitas organizações se estruturam para diversificar suas fontes de inovação, estreitando o relacionamento com as universidades.

Na universidade, o trabalho da Inova se inicia no momento em que o pesquisador nos comunica sobre sua invenção, o que é feito on-line, em um sistema disponibilizado no site da Inova. Os analistas de propriedade intelectual da agência recebem a comunicação de invenção e avaliam se todos os requisitos de patenteabilidade foram cumpridos. Depois, é feito o pedido da patente ou registro do software.

A preocupação com a propriedade intelectual no âmbito da Unicamp se dá antes mesmo do estabelecimento de parcerias. A universidade segue a orientação estabelecida por meio da Lei de Inovação, que determina a proteção da propriedade intelectual gerada a partir da pesquisa acadêmica. No que tange aos projetos colaborativos, nossos contratos contêm cláusulas de propriedade intelectual que estabelecem titularidade proporcional de cada agente, de acordo com a sua participação na pesquisa. Para empresas de base tecnológica, a proteção da propriedade intelectual é essencial para garantir a possibilidade de frear a apropriação indevida do invento.

Uma vez garantida essa proteção, começamos a fase de prospecção para a transferência de tecnologia. A Inova atua, principalmente, na transferência de tecnologias via seu licenciamento e articulação de convênios de pesquisa colaborativa.

Em resumo, a agência busca ativamente oportunidades de parcerias em áreas de pesquisa de interesse comum, bem como coloca à disposição de parceiros externos o portfólio de Propriedade Intelectual (PI) da Unicamp – tecnologias/know-how: patentes, programas de computador, marcas.

A Inova não prioriza tecnologias específicas, mas alguns setores são mais ativos no âmbito da propriedade intelectual e da transferência de tecnologia, como a área da química e das engenharias. O Instituto de Química e a Faculdade de Engenharia Elétrica e de Computação da Unicamp são unidades com grande tradição no desenvolvimento de tecnologias e se engajam fortemente na comunicação de suas invenções junto a Inova Unicamp. Por consequência, possuem o maior número de pedidos de patentes na Unicamp, representando, juntas, cerca de 50% das patentes da universidade.

Mais recentemente, a Inova vem se capacitando para atuar via formação de novas empresas, ou seja, promovendo a transferência de tecnologias para empresas nascentes, as chamadas spin-offs.

Há uma incubadora vinculada à Inova, a Incubadora de Empresas de Base Tecnológica da Unicamp (Incamp), que apoia o desenvolvimento de novas empresas de base tecnológica por meio da oferta de infraestrutura e de capacitação tecnológica e gerencial para novos empreendedores. Como está localizada na Unicamp, permite às empresas incubadas que se beneficiem da proximidade dos laboratórios e dos recursos humanos da universidade e de um ambiente inovador, propiciado pela atuação em rede da Agência de Inovação.

Atualmente, a estrutura física da incubadora tem capacidade para abrigar até nove empresas; entretanto, além de empresas residentes, a Incamp também atende em outras duas modalidades: incubação não residente e pré-incubação.

Além da Incamp, há também o Centro de Inovação em Software (InovaSoft), um ambiente para interação da universidade e organizações privadas e públicas por meio de projetos em parceria na área de Tecnologia da Informação (TI). Esse ambiente recebe projetos de TI numa parceria universidade–empresa e outras organizações públicas e privadas; pré-incubação de projetos de negócios de TI e incubação de empresas de TI nascentes.

Podemos dizer que a colaboração entre universidades e empresas tem se tornado um importante mecanismo de negócios e de acesso à tecnologia e a novos mercados nas mais diferentes partes do mundo e também no Brasil.

Contudo, a universidade é apenas um dos atores no contexto do fomento à inovação no país. Vale reforçar que a parceria com a universidade não deve substituir totalmente o esforço interno das empresas para a pesquisa e o desenvolvimento. O setor privado também deve estar comprometido com investimentos crescentes em inovação, e o desenvolvimento de projetos de P&D colaborativo da universidade com a indústria significa uma oportunidade adicional e complementar para a estratégia de inovação das empresas.

Trabalhando em uma extensa rede de relacionamentos e cooperação com diversas entidades, a Inova tem buscado contribuir de forma expressiva na transformação do conhecimento gerado na universidade em inovações que promovam o desenvolvimento econômico e social, com benefício para toda a sociedade.

Capítulo 7

Gerando ideias alinhadas com a estratégia de negócios

"Para aquele provérbio que diz que uma viagem de mil milhas começa com um único passo, eu adicionaria as palavras... e um mapa."
Cecile M. Springer, pesquisadora e executiva norte-americana

O Capítulo 3 tratou das várias dimensões para inovar e destacou a importância de que ideias geradas, internamente ou por meio de redes externas, estejam fortemente relacionadas com os objetivos e estratégias da organização.

O sucesso depende essencialmente do alinhamento da estratégia de inovação com a estratégia de negócios da empresa.

Antes de iniciar qualquer programa, política ou estrutura voltada à inovação, faz-se necessário um grande trabalho de análise estratégica. Para buscar o crescimento sustentado, sua empresa precisa rever ou fortalecer sua visão organizacional? E qual a sua visão de futuro para o escopo de competição no qual ela atua? Deve continuar na mesma arena? Ou deve ampliar seu espaço competitivo? Quais serão os maiores drivers de crescimento de negócios para sua empresa?

Quando estas e outras questões-chave sobre a razão de ser da organização, hoje e no futuro, são respondidas, então é hora de estabelecer e consolidar a estratégia de inovação, definindo inclusive processos, ferramentas e outros aspectos que contribuirão para a vitalidade da empresa inovadora.

A recente transformação da P&G contou com a renovação do processo de desenvolvimento e análise estratégica. A companhia iniciada em Cincinatti, Estados Unidos, em 1837, pela união dos cunhados William Procter e James Gamble, já era uma referência importante em inovação. O empreendimento que começou com a fabricação de velas e sabonetes tornou-se uma das maiores empresas de consumo do planeta.

No final do século XX, a empresa passou por uma crise que exigia mudanças profundas de gestão. Uma das prioridades da Era A. G. Lafley, ex-CEO da empresa nesta virada, foi vincular, de forma explícita, as estratégias de negócios com as de inovação. Até aquele momento, inovação e avaliação de estratégia eram processos separados na empresa. De forma similar à 3M, os processos de planejamento das unidades de negócio passaram a considerar projetos, classificados por tipos de inovação, para alcançar as metas de crescimento com horizonte de sete a dez anos, com forte alinhamento à visão estratégica corporativa da empresa, bem como à visão de cada uma de suas unidades de negócio. Foram estimuladas inovações em áreas-foco da companhia, como saúde, beleza e cuidados pessoais, além de projetos de sustentação para marcas líderes e novas estruturas para inovações de ruptura.

Quando observamos os programas de inovação aberta da Procter & Gamble com mais profundidade, entendemos que a companhia também estabeleceu parâmetros para otimizar seu processo de inovação e orientar o escopo das ideias sugeridas. Hoje perseguem o objetivo de que 50% das ideias de seu hopper venham de fora da companhia. Entre no website Connect & Develop da P&G, que convida milhares de inovadores a cocriarem, e encontrará parâmetros para identificar as áreas em que planejam adicionar valor em suas operações dentro de um escopo amplo, com cerca de 40 categorias para recepção de ideias como cosméticos, pilhas, higiene feminina, purificação de água, cuidados da pele, produtos para barbear, entre outros, bem como áreas estratégicas de gestão, como design, métodos de pesquisa, novos modelos de negócio e soluções de manufatura.

Considere agora a Coca-Cola, gigante centenária que comercializa uma vasta gama de produtos como bebidas carbonatadas, sucos, águas, chás e isotônicos, batizados com mais de 200 marcas. A companhia sempre mostrou consistência em priorizar algumas áreas-chave para a sua inovação. Certamente, tendo sua marca como um dos ativos mais valiosos do mundo, a empresa investe continuamente em programas inovadores de relacionamento e experiência de marca com seus consumidores.

Quem não se lembraria das inúmeras inovações promocionais da Coca-Cola como as miniaturas de garrafas, os jogadores de futebol estampados no plástico das tampinhas e os campeonatos de io-iô, para citar alguns dos mais memoráveis? Se você conhece alguém que já foi ao Epcot Center, nos Estados Unidos, busque saber da experiência em visitar a atração da Coca-Cola. Tente se lembrar de todos os itens licenciados com a marca, disponíveis em tantos lugares, como copos, moletons, camisetas, relógios e tantos outros artigos.

Ainda que a companhia dedique alguma energia em desenvolvimento de novos produtos, como a Coca-Cola Zero, enorme sucesso no Brasil, que é o maior mercado para esse item, a estratégia de negócios da empresa claramente privilegiou a área de comunicação e experiência de marca como principal plataforma de inovação.

Dentro do "P de Produto", a dimensão de inovação mais estimulada é a embalagem. Nas palavras do CEO da Coca-Cola, Muthar Kent, "isoladamente, a embalagem é o maior direcionador de crescimento das vendas no mundo". Assim, quando percorremos os corredores dos supermercados repletos de embalagens dos sucos Kapo e Del Vale, dos hidrotônicos i9, da diversidade de itens do refrigerante de noz de cola, desde as "caçulinhas" às garrafas-família de 3 litros e todos os itens especiais para "baladas", eventos comemorativos e outras oportunidades de ocasião, sabemos que esta seara é estratégica e absorve fortes investimentos de inovação, seja em processos de geração de ideias e implementação, seja no alinhamento com os fornecedores de toda sua cadeia de suprimentos e nas ações de comunicação.

A Ambev também adota trilha parecida com sua marca Skol, líder do mercado brasileiro, praticando inovação estado da arte na sua comunicação dos últimos anos, em seus comerciais de TV, ações na web, promoções e eventos alinhados ao brilhante conceito da cerveja que "desce redondo". Eles certamente também promoveram a área de embalagens como um dos direcionadores para suas ideias inovadoras, trazendo aos consumidores novidades como as latas menores (a redondinha, de 269 ml e mais fina), as mais longas (o latão de 473 ml), as diversas long necks (250 ml, 350 ml, 355 ml), as garrafas especiais como a Skol Beats (design diferenciado) e a Big Neck (com tampa de rosca e bocal largo), a Skol litrão e o Cincão (lata de 5 litros), todas oferecendo praticamente o mesmo líquido.

A Natura, um dos ícones de inovação e sustentabilidade no Brasil, estabeleceu estrategicamente plataformas tecnológicas que domina, e investe para aprofundar conhecimentos que vão gerar produtos para seu crescimento a longo prazo. Entre suas áreas de interesse para P&D, estão as tecnologias de pele e cabelo, novos insumos naturais, embalagens, veículos para "transportar" seus produtos para aplicação no corpo, entre outros direcionadores.

Outro gigante nacional da indústria de cosméticos, O Boticário, também pratica seus exercícios estratégicos regularmente. De acordo com reportagem da revista Época Negócios, a empresa implementou mais de 400 ideias inovadoras no ano de 2010, cuidando para que a energia criativa de seus funcionários estivesse a serviço das tendências detectadas, permitindo um forte posicionamento da empresa para explorar oportunidades dos cenários futuros. Uma equipe de funcionários, com representantes de diversas áreas, regularmente investe tempo para refletir acerca de temas importantes da atualidade e que devem se tornar relevantes, como a preocupação das pessoas com o envelhecimento da pele, uma moldura temática para a criatividade na qual todos são convidados a exercitar suas ideias.

Por fim, o Grupo Abril tem vislumbrado um horizonte promissor para seus negócios na área de Educação, diante das análises mais pessimistas para o mercado de jornais e revistas impressas no futuro próximo, em um mundo dominado pela interconectividade. É bastante sensato que dediquem energia de inovação para desenvolver novos negócios em outras áreas e na internet, amparados pela competência de geração de conteúdos e disponibilização de informações.

Da mesma forma, a TV Globo, rede nacional hegemônica no mercado brasileiro há décadas, lida com um cenário desafiador, fragmentado entre centenas de novas possibilidades de informação e entretenimento, sofrendo impacto avassalador da internet. Não seria surpresa identificar um grande envolvimento e investimentos das Organizações Globo para transformar a empresa em novos produtos, serviços e modelos de negócios.

Portanto, vale ressaltar mais uma vez que as estratégias de inovação devem estar alinhadas com as estratégias de negócios da empresa, buscando identificar e explorar as oportunidades de geração de valor para seu crescimento sustentado.

"Em última análise, nós queremos que a Nike seja a melhor empresa de Esportes e Fitness do mundo. Uma vez que você afirma isso, você tem um foco. Você não irá acabar fazendo wing tips (partes de asas de avião) ou patrocinando a próxima turnê mundial dos Rolling Stones."

Phil Knight, fundador da Nike

Três estratégias de inovação

Em 2007, a empresa Booz & Co. publicou um estudo a respeito das diversas estratégias de inovação das empresas para conceber suas ofertas e introduzi-las no mercado. Concluíram que haveria, basicamente, três grandes estratégias fundamentais de inovação utilizadas pelas empresas: a investigação das necessidades dos clientes, a profunda análise e interpretação dos mercados e o desenvolvimento de tecnologias.

Investigação das necessidades

Dentro da estratégia de investigação de necessidades, as empresas inovadoras engajam clientes atuais e potenciais para criar novos produtos e serviços. Para isso, direcionam muitos recursos (marketing, inteligência de negócios, trade, vendas, serviço ao consumidor, etc.) para interação significativa com os clientes a fim de capturar e desenvolver insights, descobrir o que é fundamental sobre a necessidade de seus clientes em cada situação e esclarecer como se dão as decisões de compra do consumidor. Essas informações são trabalhadas pelas equipes para construir melhores value propositions e orientar planos e ações de negócios mais robustos.

Atualmente, há uma tendência muito forte das empresas em não se limitarem aos resultados de pesquisas de mercado tradicionais, como grupos de foco e análises quantitativas, relatórios mornos e previsões de especialistas. A orientação é renovar essas ferramentas e somá-las a novas formas de interação com seus clientes, preferencialmente de forma direta, explorando abordagens de pesquisa etnográfica ou antropológica como entrevistas in loco e "programas de convivência com cliente", observação do comportamento dos clientes no ponto de consumo e criação de ambientes de simulação como "lojas-piloto" e "casas do futuro".

Muitas companhias, especialmente as indústrias de consumo, fazem isso muito bem. Empresas como a Nestlé, a Colgate-Palmolive ou a Unilever têm respeitável histórico em alocar recursos para melhor entender seus consumidores em suas rotinas, as especificidades dos hábitos de consumo em cada região do país ou, ainda, em áreas de foco dentro de grandes cidades.

O case do sabão Ala, desenvolvido pela Unilever em 1996, foi um clássico no contexto de inovação regional, resultando de pesquisa profunda realizada com as mulheres de classes C e D das regiões Norte e Nordeste do Brasil.

A Procter & Gamble criou o "Living it", programa de convivência diária com famílias de seus públicos de interesse, em que seus especialistas contam com a oportunidade de observar o cliente enquanto ele utiliza o produto em casa, na condição de quase completa normalidade cotidiana. Acompanham as famílias ao mercado, compartilham refeições, ganhando um conhecimento precioso para ideias de negócios.

Em paralelo, mantém um interessante programa de aproximação de seus funcionários com os clientes, denominado "Working it", no qual seus colaboradores trabalham como balconistas e atendentes de lojas por alguns dias para compreender as motivações e os desafios do consumidor no momento de compra, além de acompanhar a dinâmica de seus revendedores.

Essas iniciativas originaram o projeto de diversas inovações incrementais como o Hipoglós® Amêndoas, o sabão em pó Ace® Erva-Doce e o absorvente Always® Básica.

Nos anos 1990, a finlandesa Nokia sobressaiu-se ao enviar seus engenheiros para os "pontos mais quentes do planeta" frequentados pelos jovens da época, como a praia de Venice, na costa californiana, ou o bairro Roppongi na capital japonesa. Com essa experiência direta e em cores, respirando a mesma atmosfera inspiradora, os funcionários da Nokia produziram dúzias de insights para posicioná-los na vanguarda da telefonia móvel.

A GE e a Microsoft são exemplos de empresas que possuem surpreendentes "casas do futuro", nas quais testam as tecnologias que nos assistirão nas rotinas domiciliares das próximas décadas, com os mesmos toques de fascinação que o desenho animado *Os Jetsons* provocava nas crianças, nos anos 1980.

A General Mills estudou as crianças em intervalo da escola para captar insights que lhe permitiram desenvolver uma embalagem inovadora no formato de um tubo "espremível", fácil de abrir e carregar e que dispensa as colheres, tornando seu iogurte Yoplait® Go-Gurt um enorme sucesso nos Estados Unidos há alguns anos.

A 3M também direciona muitos recursos para ter o melhor

conhecimento possível de seus clientes a fim de que possamos gerar inovações de sucesso relevantes e que efetivamente atendam às necessidades dos usuários.

Como já mencionei antes, esse movimento ganhou força com a definição estratégica de líderes da companhia, como William McKnight, que cobrava fortemente uma interação muito próxima com os usuários de nossos produtos, ainda na primeira década do século XX. Por cumprir essa determinação estratégica, um funcionário criativo e empreendedor, Richard Drew, observando as dificuldades dos pintores em uma oficina de reparação automotiva, identificou a oportunidade para criar a fita crepe, lançada em 1925.

Nos anos 1990, funcionários da 3M desenvolveram uma solução extremamente inovadora, traduzida nos adesivos Command^{MR}, uma linha de produtos para fixação não permanente de ganchos, fechos, acessórios e organizadores. Esses adesivos diferenciados fixam objetos à parede, substituindo pregos e parafusos. Em outras palavras, além da praticidade para pendurar um quadro ou gancho, sem furadeiras e martelos, as paredes se mantêm intactas se os adesivos forem removidos. A maioria das casas norte-americanas é construída com paredes de dry-wall, uma espécie de gesso que dificulta o processo de furar paredes. Assim, a histórica proximidade com os clientes e a percepção de seus problemas e necessidades dispararam o insight dos intraempreendedores 3M para gerar a solução. Com criatividade, disciplina de execução e um rico ambiente de criação e troca contínua de conhecimento, os pesquisadores desenvolveram esse produto revolucionário.

Mais recentemente, colaboradores da 3M da divisão Scotch-Brite^{MR} fizeram uma incursão preciosa por algumas regiões brasileiras para compreender melhor as necessidades relacionadas à limpeza doméstica. Após meses de convivência com donas de casa, verificando todas as variáveis envolvidas no processo de lavar louças e panelas, a 3M do Brasil investiu no processo de desenvolvimento do Esponjaço, uma fibra abrasiva com alto poder de limpeza e grande durabilidade.

Também no mercado B2B é perfeitamente viável usar estratégias similares para gerar insights. Um exemplo interessante dessa estratégia citado pela revista Strategy-Business é a prática permanente de aprendizado da Black & Decker, divisão do Grupo De Walt de ferramentas profissionais, que envia regularmente seus funcionários para os parques de obras de construção civil com o intuito de pesquisar as necessidades dos construtores, empreiteiros e operários. As experiências de observação pinçaram as dificuldades dos carpinteiros para cortar grandes peças moldadas com serrotes de dez polegadas que eram o padrão da indústria. Essa descoberta gerou a ideia para o projeto de uma serra especial de 12 polegadas que se tornou um dos produtos mais vendidos da companhia.

Recentemente, tomei conhecimento do case da Tecno Logys, a empresa brasileira fundada em 2000 que, no final de 2010, teve seu Sistema de Alvenaria de Vedação relacionado pelo Grupo Monitor entre as 101 inovações brasileiras por conta do conceito pioneiro de entregar a "parede pronta" para milhares de edificações do país. Com criatividade aguçada, a Tecno Logys desenvolveu tijolos no conceito de blocos "Lego" e adaptou processos e ferramentas de outros segmentos, construindo uma proposta de valor diferenciada que economiza tempo, reduz desperdício e melhora a qualidade das paredes levantadas sob esse método, englobando oferta de produto, desenvolvimento de projetos e até mesmo a própria execução da atividade.

No início das operações, seu fundador, empreendedor com grande experiência no mercado de construção e enorme capacidade de "relacionar-se com os clientes no canteiro de obras", percebeu a perda de produtividade gerada pelo processo de transporte de argamassa para os operários. No alto do prédio, processando suas observações, concebeu um modelo inédito de transporte de argamassa por gravidade. Ao preparar a argamassa no alto da construção e transportá-la para os diversos pontos de necessidade através de tubos especiais, por força da gravidade, eliminava-se um gargalo da obra que, no modelo tradicional, dependia do elevador central da construção e provocava enorme perda de tempo.

Como se pode deduzir, a capacidade de inovação da Tecno Logys está intimamente relacionada com sua prática diária de mergulhar em seu mercado, conviver com seus clientes nas condições reais de trabalho e identificar oportunidades.

As diversas divisões B2B da 3M direcionam batalhões de funcionários para trabalhar com grande proximidade dos profissionais a quem servimos com nossas soluções abrangentes, sejam enfermeiras nos hospitais ou instaladores das empresas de energia, empregados de mineradoras, petroleiros nas plataformas de exploração, operários da construção civil, em suma, usuários de nossas soluções com quem aprendemos pelo relacionamento, observação e trabalho conjunto.

Temos inclusive o Programa para Oportunidades de Melhoria (P.O.M), em que muitos experts, técnicos de diferentes especialidades, organizam uma visita em equipe à operação de nossos clientes, identificando necessidades e pensando, de forma integrada, em solucionar desafios detectados.

Não é demais comentar que existem técnicas para facilitar este trabalho de observação em campo, mas claro que a inventividade individual ajuda muito a perceber um detalhe crítico e estruturar uma ideia inicial criativa. Como diz Tom Kelly, da Ideo, esse processo de investigação e geração de insights não é tão simples. Ele recomenda que, antes de colocar os processos e ferramentas da inovação para funcionar, você precisa saber quais problemas precisam ser resolvidos, indo a campo e encontrando áreas em que as pessoas estão acumulando más experiências. E a tarefa é desafiadora, pois os clientes não pensam nos mesmos termos que as empresas sobre os produtos que utilizam e muitas vezes não conseguem expor suas necessidades de maneira articulada. Em geral, clientes informam sobre o presente. Não adianta perguntar, pois não darão as respostas. Por isso, o líder da Ideo julga que essa etapa da inovação – observar, interpretar e priorizar onde inovar – é a mais importante.

Henry Ford já teria afirmado que, se fosse levar em conta apenas os desejos expressos relativos a transporte por potenciais consumidores do início do século XX, desenvolveria simplesmente carroças mais rápidas, e não automóveis melhores.

Em outro exemplo divertido citado por Tennyson Pinheiro, da Consultoria de Inovação Livework, se você fizesse uma pesquisa no Brasil sobre a necessidade de um sistema de resfriamento de bebidas ou de fabricação de gelos para festas, provavelmente encontraria poucas respostas interessadas em qualquer aparelho com esse propósito. Entretanto, se pudesse penetrar nas festas dos lares tupiniquins, encontraria na maioria das casas garrafas de cerveja e refrigerante entulhadas em tanques de lavanderia e até mesmo dentro de máquinas de lavar, sob uma pilha de gelo.

Enfim, para uma empresa inovadora, é primordial manter-se próxima dos clientes, conhecendo-os profundamente, detectando oportunidades, acompanhando a transformação dos cenários e seus impactos, antecipando necessidades e entregando-lhes valor.

Inovação aberta para a estratégia de investigação de necessidades

Para maior interação com os consumidores, muitas empresas desenvolvem programas de inovação aberta com seus principais públicos de interesse, como a IBM (Innovation Jam), a Threadless e a SAP.

A Dell criou o IdeaStorm ainda em 2007, um canal para dar voz aos clientes, estabelecendo uma "avenida" para sessões de brainstorm na internet para troca de ideias e sugestões visando a criação de novos produtos e serviços. Por meio desse website, a Dell informa ter recebido mais de 10 mil ideias e implementado cerca de 400 delas. No final de 2009, a companhia adicionou a plataforma "Storm Sessions", definindo tópicos específicos para guiarem as opiniões dos internautas.

Essa prática recebe o nome de crowdsourcing, um modelo de solução de problemas, geralmente, em comunidades on-line, para receber ideias, feedbacks, relatos de experiências e respostas a desafios propostos. O termo foi batizado por Jeff Howe da revista Wired.

O MyStarbucksIdea é outra plataforma já sólida na internet em que as pessoas podem colaborar com a Starbucks, dando ideias de produtos, sugestões de melhorias em processos e oportunidades para aperfeiçoar a experiência com a marca. A empresa também incentiva que os internautas votem nas melhores ideias, peneirando as de melhor aceitação e potencial.

No livro *The Wisdom of Crowds*, baseado na teoria da sabedoria das multidões, o autor James Surowiecki sustenta a tese de que um grande grupo diverso de pessoas, ainda que sem conhecimento profundo sobre determinado assunto, coletivamente produz melhores decisões do que um time de poucos especialistas.

Em 2010, a empresa de construção Tecnisa também lançou sua plataforma Tecnisa Ideias para que os internautas interajam, participem de desafios, sugiram ideias e votem nas melhores, mantendo sua consistência de inovar no mercado pelo mundo virtual, numa indústria que durante anos cultivava um relacionamento estagnado com seus prospects, apelando para fórmulas antigas, como a entrega de folhetos nos semáforos.

Um dos melhores projetos nacionais de cocriação com o público foi conduzido pela Fiat Brasil. No final de 2009, foi criada a plataforma de colaboração FIAT MIO, que atraiu cerca de 17 mil internautas para gerar ideias, comentar, criticar e expor necessidades que ajudariam a criar o primeiro carro-conceito colaborativo do mundo. As melhores ideias selecionadas foram desenvolvidas para produção de um veículo protótipo, exibido no Salão do Automóvel de São Paulo em 2010, que trouxe grande visibilidade para a marca de origem italiana, além de levar seus designers, engenheiros e projetistas a muitas descobertas preciosas.

A ideia do projeto não era gerar um carro a ser comercializado imediatamente, repleto de tecnologias revolucionárias, mas, sim, proporcionar um grande conhecimento das expectativas, necessidades e dos desejos dos motoristas e usuários. Algumas das inovações propostas poderão até ser viabilizadas e incorporadas aos poucos, nos modelos atuais e em gestação.

Eric Von Hippel, líder de inovação do MIT, compartilhou outra história interessante sobre o fenômeno da inovação aberta. Um pequeno grupo de pesquisadores da empresa dinamarquesa Lego teria consumido longos sete anos no projeto de desenvolvimento de brinquedos integrados com robótica, logrando grande sucesso no seu lançamento. Poucas semanas depois, mil hackers se envolveram voluntariamente para criar e aperfeiçoar produtos. Daí em diante, aproveitando a grande quantidade de entusiastas com mais de 18 anos – público que inicialmente nem sequer era considerado target primário da empresa–, a Lego mostrou grande flexibilidade e senso de oportunidade, desenvolvendo o website Lego Factory, no qual o usuário se transforma em designer e pode criar seu próprio brinquedo, desenhar sua própria embalagem e até disponibilizá-lo para venda na loja virtual.

Mantendo seu ritmo de inovação, a 3M do Brasil lançou em 2011, como parte do website 3minovacao.com.br, a plataforma Fábrica de Ideias, para estimular a inventividade espontânea dos internautas, e o projeto Test-Drive 3M, pedindo regularmente a participação de um grupo de consumidores voluntários que desejasse experimentar e avaliar as últimas inovações da companhia.

Se na maioria das vezes essas ferramentas são utilizadas para conexão da organização com o público externo, internamente diversas companhias vêm implantando mecanismos pioneiros de crowdsourcing para gerar e selecionar as melhores ideias.

A Serasa Experian desenvolveu um Sistema Interno de Mercado de Ideias muito interessante. Os funcionários podem submeter ideias ou enriquecer sugestões enviadas por seus colegas a qualquer momento. Cada usuário do sistema tem um saldo em Experians EXP$, uma moeda virtual que pode ser usada para investir em uma ou mais ideias com potencial de gerar valor (similar à compra de ações). Ao final, as ideias com maiores investimentos são avaliadas por um comitê da alta gerência.

A Natura também experimenta um modelo interno, denominado Natura Inova, para estimular a aprendizagem individual e organizacional através de um processo criativo, proporcionando aos funcionários a possibilidade de gerar ideias em outros campos, desvinculadas do objetivo de novos produtos, os quais já se utilizam do processo de funil da inovação. Esses funcionários são organizados em times, orientados por guias (coaches) e participam de jogos em "rodadas". Novamente, há uma participação coletiva para discussão e avaliação das ideias submetidas.

Desenvolvimento tecnológico

Outra estratégia de inovação identificada pela Booz & Co. é o investimento em desenvolvimento tecnológico. Sob esse modelo, as empresas dão grande foco em suas áreas de P&D para atender as necessidades não articuladas de seus clientes por meio de novas tecnologias que viabilizarão produtos inovadores.

É o modelo predominante de inovação do século XX, que continua valioso para numerosas empresas com suas áreas robustas e influentes de P&D, dotadas de time estratégico de cientistas, orçamentos significativos e expressivos registros de patentes, transformadas parcialmente em inovações rentáveis. A diferença é que, atualmente, os processos de inovação aberta foram incorporados para melhorar, acelerar e reduzir os custos internos de pesquisa das empresas.

Para a estratégia do desenvolvimento tecnológico, é muito importante investir na capacitação e integração dos cientistas, na investigação permanente das novas tecnologias, no relacionamento com as universidades, centros de pesquisa e outros pesquisadores, e na gestão da propriedade intelectual.

Muitas empresas dos mais diversos segmentos priorizam a estratégia do desenvolvimento de tecnologias. Entre essas companhias, frequentemente vemos representantes da indústria farmacêutica como Roche (maior orçamento de P&D em 2009 pela Booz & Co.), Pfizer, Novartis, Johnson & Johnson, Sanofi-Aventis, Glaxo-Smithkline e Merck; do mercado automotivo e de autopeças como Toyota, GM, Volkswagen, Ford, Honda, Fiat, Bosch e Visteon; e do setor de eletrônicos e informática como Microsoft, Nokia, Samsung, IBM, Intel, Cisco, Panasonic, Apple e Google.

A gigante industrial alemã Siemens AG investe 5% de seu orçamento geral de P&D para planejamento de longo prazo, elaborando minuciosos road maps para suas tecnologias, no nível de suas divisões, e também na esfera corporativa, estabelecendo cenários para as tendências tecnológicas.

Esse modelo é muito similar ao que utilizamos na 3M, combinando investimentos na pesquisa corporativa e na pesquisa aplicada para cada divisão de negócios. Em 2011, a companhia detinha conhecimento em 46 plataformas de tecnologia. Periodicamente, os cientistas corporativos e os líderes das áreas técnicas dos diversos grupos se reúnem para prever e sugerir prováveis rotas para o desenvolvimento dessas tecnologias, apostando nos caminhos mais promissores e alinhados com os objetivos da empresa para definir parte de seus projetos de inovação.

Inovação aberta para a estratégia de desenvolvimento tecnológico

Nesta estratégia, os horizontes da inovação aberta também estão presentes.

Na esfera acadêmica, observamos interessante mudança de postura de muitas instituições que se transformaram nos últimos anos para viabilizar o intercâmbio de conhecimentos e habilidades tecnológicas com a iniciativa privada, gerando inovações que serão implementadas no mercado em benefício da sociedade. Esse intercâmbio se concretiza por meio de diversos mecanismos, como contratos de pesquisa & desenvolvimento, comercialização de patentes, serviços de consultoria, entre outros.

Algumas instituições se destacam com órgãos ativos no desenvolvimento dessas parcerias como a Unicamp (Agência Inova), a Universidade de São Paulo (Agência USP de inovação) e a Universidade Federal de Juiz de Fora (Critt), entre muitas outras.

Em contrapartida, há muitas organizações que também se estruturaram para desenvolver parcerias de longo prazo com a comunidade científica do país. É o caso da Natura, que foca em parcerias voltadas a pesquisas científicas básicas (avanço do conhecimento com foco mútuo, visando a publicação de divulgação científica mútua) e tecnológicas (resultados aplicados em processos industriais e no desenvolvimento de produtos) financiadas ou cofinanciadas pela organização. Também oferece programas de vivência empresarial, nos quais alunos de pós-graduação realizam parte das pesquisas nos próprios laboratórios da Natura e investem em projetos de transferência tecnológica ou licenciamento de patentes para abastecer seu pipeline de inovação.

A Vale, que em 2009 anunciou a criação do Instituto Tecnológico Vale (ITV), é outro exemplo de desenvolvimento de parcerias com mais de 40 projetos universitários, especialmente com a Universidade Federal de Ouro Preto (UfOP), a Universidade de São Paulo (USP) e a Universidade Federal do Rio Grande do Sul (UFRGS), e até instituições no exterior como a École Nationale Supérieure des Mines na França e a Central South University na China.

Muitas empresas têm buscado um relacionamento mais intenso com estudantes universitários, prospectando talentos, ao mesmo tempo que patrocinam competições e premiações de inovação com potencial para gerar novas ideias e abordagens inéditas por parte de um público jovem e criativo, como o Prêmio Talento Volkswagen Design e o Prêmio Suvinil de Inovação, promovido pela Basf, que tem investido para mudar o conceito das tintas como itens de construção para produtos de decoração, lançando recentemente uma série de produtos inovadores como tintas com aparência de camurça e jeans, sem cheiro e que pouco respingam.

Vale lembrar outro mecanismo cada vez mais popular para envolver a comunidade na solução de desafios tecnológicos e até mesmo em outras áreas. Atualmente, existe a possibilidade de se propor desafios técnicos a pesquisadores, especialistas, estudantes e outros públicos segmentados, dentro de plataformas de inovação aberta que facilitam a interação das empresas, que necessitam de ideias e conhecimentos, e uma grande comunidade de "solucionadores de problemas".

Uma das empresas pioneiras neste serviço é a Innocentive, que em seus primeiros dez anos contabilizava um time de 250 mil inovadores em potencial, espalhados pelo mundo, interessados em participar dos desafios, que ultrapassaram a marca de 1.200 nesse período. Entre algumas empresas que utilizaram esses serviços estão a Eli Lilly, a Roche, a Nasa e a P&G.

A Nine Sigma é outra plataforma conhecida em conectar uma comunidade de inovadores a problemas apresentados por empresas como Akzo Nobel, Hallmark e Schlumberger.

No Brasil, um modelo conhecido desse gênero é o Batalha de Conceitos, com origem na Holanda, e que no país recebeu investimento da Terra Forum Consultores, prestando serviço para empresas como Philips, Promon Engenharia, Whirlpool e Samarco, entre outras.

Leitura dos mercados

Por fim, a terceira estratégia de inovação detectada refere-se à leitura dos mercados. Nesse caso, as empresas analisam cuidadosamente seus clientes e competidores, focando principalmente em desenvolver inovações incrementais e apostando em tendências de mercado mais maduras. Uma competência essencial para essas empresas é identificar tais tendências.

Nesse modelo, o sucesso dos leitores de mercado depende da oferta inovadora, com as diferenciações incorporadas, ser introduzida no mercado no momento certo.

Em 1990, John Naisbitt & Patricia Aburdene publicaram o antológico *Megatrends 2000: Ten New Directions For the 1990's*. A obra teve grande impacto no mundo corporativo e contribuiu para que as empresas dedicassem atenção maior à leitura dos mercados e identificação dos grandes cenários (político, econômico, social, tecnológico, ambiental e legal) que geram movimentos e transformação de valores da sociedade que refletem em hábitos de consumo, moda e novos comportamentos.

Hoje se tornou mandatório que uma empresa competitiva desenvolva análises de tendências adequadas, seja por meio de suas equipes internas seja de consultores, a fim de preparar a organização para as ameaças e oportunidades do futuro.

Uma das megatendências contemporâneas é o esgotamento dos recursos naturais com seus desdobramentos para a área de energia, água, minerais e fontes sustentáveis de matéria-prima. Certamente, é uma força que traz impacto a qualquer negócio, mas se a atividade tem destacada dependência ou conexão com essa megatendência, é preciso rapidamente investigar se o motor da inovação de sua organização já trabalha para evitar riscos ou explorar oportunidades associadas conforme vimos no Capítulo 3.

Esse tópico certamente vem pautando os investimentos estratégicos em inovação de muitas empresas, como no desenvolvimento dos veículos que requeiram menor consumo de energia (automóveis elétricos, híbridos, com menor peso, etc.) por parte da maioria das montadoras; no programa Ecolmagination da GE; no lançamento do "plástico verde", polietileno de alta densidade à base de cana-de-açúcar da Braskem; dos cosméticos da Linha Ekos da Natura, feitos com ingredientes cultivados de forma sustentável; do Banco Cyan da Ambev, e até de regras de concessão de crédito do BNDES, que consideram "critérios verdes" para financiamentos.

Outra megatendência é a rápida mudança de padrão de consumo, fenômeno que se observa especialmente em economias emergentes como a brasileira, em que começam a predominar níveis intermediários de renda na sociedade ao passo que a miséria diminui. A quantidade de empresas que hoje dedicam tempo para inovar na oferta e no modelo de negócios para servir camadas médias e da base da pirâmide de renda é vasta.

Em termos de tendências já amadurecidas, nos últimos anos observamos na sociedade o ideal de uma vida sem fronteiras, de enorme liberdade, virtualidade, de valorização do novo e do efêmero, que criam oportunidades para produtos pequenos, portáteis, práticos, que facilitam a tal vida *"on the go"* como os laptops cada vez mais leves e mais finos, os smartphones ultracompactos, os cosméticos em embalagens reduzidas, as facilidades de acesso a conteúdos em cloud computing, bem como modelos de negócio de pouca durabilidade como lojas pop-up e quiosques de vendas sazonais.

Ao compreender essas manifestações na sociedade, a 3M foi a primeira empresa a desenvolver um microprojetor, do tamanho de um controle remoto, para compartilhar conteúdo como fotos, slides e vídeos no contexto de pequenas apresentações. É uma típica inovação integrada com esse conceito de "sociedade líquida", interconectada, prática, que quer "tudo ao mesmo tempo".

Em contrapartida, em movimento de compensação, também percebemos na sociedade a valorização das raízes históricas e da tradição de eras passadas, com espaço para ofertas como o Canal de TV paga Viva da Globosat, as embalagens da linha de produtos de higiene Granado, as séries comemorativas do Leite Moça da Nestlé e a organização de shows de antigas bandas como Blitz e Ultraje a Rigor, bem como novos locais para festas que revivem os anos 1970 e 1980.

Na tendência de "viver bem", observamos grande valorização da felicidade como aspiração legítima de todos enquanto proliferam muitas inovações para proporcionar tal sentimento, desde alimentos orgânicos e livros de autoajuda até condomínios verdes e academias de ginástica segmentadas.

Outro importante movimento que constatamos atualmente é a valorização do indivíduo e da busca de se expressar de forma singular, oferecendo todo o potencial para produtos customizados em massa e modelos exclusivos. Os produtos Print 3M, uma película adesiva especial que permite a personalização de gadgets como laptops e smartphones, e 3M STP (specialty trim parts), uma linha de peças plásticas impressas com alta tecnologia para decorar automóveis de acordo com o gosto do proprietário, estão plenamente alinhadas com essa tendência muito bem interpretada pelos profissionais da companhia.

Encontramos outro bom exemplo de leitura competente do mercado no plano da Votorantim ao identificar que a maior parte de consumo do material de construção no Brasil vinha de obras administradas pelo próprio dono do imóvel, aprendendo que pequenas empresas já ofereciam o serviço de entrega de concreto ao usuário final. A ideia do projeto de "delivery de concreto" foi desenvolvida dentro da Engemix, empresa do grupo voltada para esse negócio e testada inicialmente em São Paulo sob a marca CasaMix, antes de se expandir para o restante do país.

Equilibrando as estratégias de inovação

É bom destacar que não há uma estratégia de inovação melhor que a outra. Elas também não são excludentes. Percebo que muitas empresas praticam as três formas de inovação em paralelo. Envolvem clientes para avaliar produtos e possibilidades, abrem suas fronteiras para estabelecer diálogo com seus consumidores, cocriam com outros inovadores, operam em parcerias, deslocam seus funcionários para conviver com seu público, estudam cenários e tendências que terão impacto em seus negócios e, enfim, colocam suas equipes técnicas para desenvolver a tecnologia.

É verdade que podem dar ênfases distintas para cada atividade. É possível que, em cada lugar, a estratégia de inovação priorize um desses caminhos. Entretanto, o maior segredo do sucesso é ter sua estratégia de inovação perfeitamente alinhada com a estratégia de negócios da empresa.

Também vale dizer que a estratégia de inovação não se limita apenas à geração de receitas, mas pode ter foco em excelência operacional, com programas de ideias para melhorias na manufatura, logística e outras etapas do supply-chain.

A Brasilata tem presença garantida nos estudos de inovação no país por grande empenho de seu líder Antônio Carlos Teixeira Álvares, ligado ao Fórum de Inovação da FGV e patrocinador de um sólido programa de ideias inovadoras dos funcionários, que disponibiliza o canal da intranet e as tradicionais urnas físicas para captação das sugestões. Em 2009, o projeto Simplificação teria recebido 165 mil propostas (média de 181,9 ideias por funcionário) com média de aprovação de 90% das ideias, geralmente relacionadas com melhorias de processo.

A Embraer é uma das líderes em inovação no Brasil, com fortes investimentos em tecnologia, parcerias, análises de mercado e estudo de seus consumidores. Porém, ao mesmo tempo, organiza internamente o Programa Boa Ideia, voltado para redução de custos, segurança ocupacional e meio ambiente. Reformulado em 2000, até 2009 seus funcionários haviam apresentado mais de 70 mil ideias, com mais de 20 mil implementadas, e com retornos financeiros expressivos.

Na 3M, também temos muitos programas paralelos que estimulam a inovação de processos em nossas fábricas, no controle de custos indiretos da companhia ou no alcance de nossas metas de sustentabilidade.

Em resumo, este capítulo busca enfatizar que a geração de ideias deve ser orientada pela estratégia de negócios. Jamais deixe de garantir, em sua área de trabalho, um ambiente favorável que preze o acesso fácil às pessoas, a colaboração intensa, a tomada de risco, a apresentação de ideias... O sonho é transformar nossa empresa em robusta usina de ideias, na qual cada funcionário é um empreendedor ativo e inventivo. No entanto, busque definir e comunicar claramente as áreas em que a inovação deve ser alavancada para alcançar os objetivos de negócio da organização.

Uma vez definidos os rumos e as expectativas da inovação, programas de educação são muito bem-vindos para que os colaboradores melhorem seu desempenho nesta fase de ideation, despertando "novos olhares" para observar clientes, analisar mercados e tendências, fazer benchmarks, estudar concorrentes, considerar dimensões e horizontes renovados e questionar modelos estabelecidos. Hoje, no Brasil há muitos consultores competentes para alargar as fronteiras mentais das equipes nas organizações.

Definido o norte para o "celeiro de ideias," a organização também necessita de processos sólidos e competências afiadas para buscar o sucesso na gestão de suas inovações. É o que veremos com mais detalhe no próximo capítulo.

Vale a pena ler

JARUZELSKI, Barry; DEHOFF, Kevin. *How the top innovators keep winning*. Strategy + Business, dez. 2010.

KELLEY, Tom. *A arte da inovação*. São Paulo: Editora Futura, 2001.

SUROWIECKI, James. *The wisdom of crowds*. London: Bantam Books, 2004.

FISK, Peter. *Creative genius*. New Jersey: John Wiley Trade, 2011.

SNYDER, Nancy Tennant; DUARTE, Deborah L. *Strategic innovation: embedding innovation as a core competency in your organization*. Indianapolis: Jossey-Bass, 2003.

Mãos à obra: perguntas para reflexão e ação

Sua empresa tem claros objetivos estabelecidos para seu crescimento futuro?

As iniciativas de inovação existentes, nas várias áreas, estão realmente alinhadas com os objetivos da organização?

Tente lembrar de alguns insights recentes que levaram sua equipe a inovar. Como foram captados?

Como sua empresa investiga as necessidades dos clientes?

Há alguma prática contínua e frequente de interação com os clientes que possa gerar ideias?

Fazendo um balanço, quais são as principais fontes de boas ideias para sua organização?

Sua organização está estruturada para aproveitar essas fontes?

Quais são as tendências que têm grande potencial para impactar seus negócios? Sua organização está estudando tais transformações para se proteger dos riscos e explorar oportunidades?

Há um investimento significativo da sua empresa em recursos de pesquisa, desenvolvimento, inteligência de negócios e em outras áreas críticas para torná-la capaz de construir vantagens competitivas?

Que iniciativas sua empresa tem realizado na área de inovação aberta?

Analise seus competidores. Qual sua opinião se fizesse essas mesmas perguntas aos seus concorrentes?

Case FIAT ★

Peter Fassbender, gerente de design da Fiat

Há mais de cem anos, nascia na Itália a Fiat, uma das maiores fabricantes de automóveis do mundo. Sua trajetória é pautada pelo desenvolvimento contínuo de produtos de alta qualidade, pelo trabalho intenso de parceria com fornecedores, rede de concessionários e milhares de colaboradores, e especialmente pelo cultivo permanente de um espírito de inovação.

A Fiat chegou ao Brasil em 1976 quando foi inaugurada a fábrica de Betim, em Minas Gerais. Até meados de 2010, a empresa havia produzido 11,8 milhões de unidades, das quais 3 milhões foram exportadas para os cinco continentes. Líder do mercado brasileiro de automóveis e veículos comerciais leves desde 2001, com participação de 24,5%, hoje nossa linha de produtos inclui 14 modelos e mais de 250 versões.

A nosso ver, para inovarmos, temos de estar muito próximos dos clientes, a fim de entender suas necessidades e seus desejos e traduzi-los em produtos, sempre nos movendo um passo adiante da concorrência. Foi assim que construímos uma história consistente de pioneirismo e inovação.

Há alguns anos, estivemos na dianteira da criação de novos segmentos de veículos, com o lançamento do Uno Mille com motor 1.0 e dos primeiros automóveis com motores turbinados de fábrica, como o Tempra e o Uno Turbo. Em completa sintonia com o início da era digital e atenta em aperfeiçoar as experiências de compra do consumidor, a Fiat também lançou o revolucionário sistema Mille On-Line, que permitia ao consumidor reservar seu carro pela internet. No momento, continuamos inovando com a implantação da tecnologia do motor flex, o aproveitamento do recurso bluetooth, a adoção dos airbags, o conceito de cabine estendida das nossas picapes e, ainda, com o lançamento de veículos em versão off-road, como o Adventure Tetrafuel.

Para produzir ideias, fomentamos processos internos que estimulem a cooperação e o empreendedorismo de nossos funcionários, que contam com uma plataforma na intranet por meio da qual podem apresentar suas sugestões.

Em contrapartida, também promovemos forte sinergia com nossos fornecedores, colaboradores e rede de concessionários. Este é o caso do Uno Ecology, o novo carro-conceito da Fiat focado em soluções ecológicas e um dos destaques do Michelin Challenge Bibendum 2010. A ideia surgiu depois que um fornecedor de para-choques nos apresentou um material à base de bagaço de cana-de-açúcar, resultado da produção do etanol e do açúcar. Nós não só o aproveitamos para produzir peças plásticas que resultaram numa redução de peso de quase 8% em relação a um equipamento convencional, como buscamos incorporar outras tecnologias renováveis e materiais recicláveis no protótipo. Assim, os bancos do Uno Ecology foram confeccionados com tecidos a partir de PET reciclado e a espuma dos assentos, com fibra de coco. O volante foi desenvolvido com revestimento em látex como couro ecológico. O PET reciclado também foi utilizado nos tapetes.

No entanto, isso não é tudo: o motor 1.0 do automóvel já sai de fábrica calibrado para consumir apenas etanol (E100), o que lhe confere o máximo de desempenho do ponto de vista da eficiência energética do combustível, além de proporcionar menos emissões de CO_2, se comparado com um motor a gasolina. O teto solar, semelhante ao sky dome do Fiat Punto, possui células fotovoltaicas no painel posterior que auxiliam a recarregar a bateria, assim não há tanta necessidade de que o motor gere energia e, consequentemente, há economia de combustível.

Em grande parte, essas novidades são elaboradas pela área de Inovação do Centro de Desenvolvimento Giovanni Agnelli, localizado em Betim, que integra uma equipe de 800 profissionais dedicados à busca de novas tecnologias e ao desenvolvimento de produtos e soluções de mobilidade com materiais alternativos, reutilizáveis e não poluentes. Outra fonte importante de inovações são as "feiras da pequena empresa", que promovemos regularmente na Fiat. Essas feiras visam estimular nossos fornecedores a apresentar soluções modernas e inovadoras em suas respectivas áreas.

Antecipar tendências no mercado automobilístico sempre foi uma meta e um exercício permanente para mantermos a competitividade da companhia ao longo do tempo. Os investimentos em nosso polo de desenvolvimento constituem esforços para projetarmos o futuro. Todavia, ainda que alguns carros-conceito, como o FCC I, tenham saído de nosso Centro Estilo a partir de 2006, é sem dúvida a proposta do Fiat Mio que nos deu mais visibilidade e nos aproximou ainda mais da experiência de melhor interpretar as necessidades do consumidor.

Primeiro carro concebido em creative commons – licenças que facilitam o compartilhamento de conteúdo –, o Mio é um projeto arrojado e interativo da Fiat, que convidou os consumidores para pensarem sobre o futuro e contribuírem com sugestões formuladas numa plataforma aberta aos internautas na web www.fiatmio.cc, a fim de que criassem um automóvel. Esse foi o primeiro grande exemplo de inovação aberta no Brasil e um case extremamente bem-sucedido de diálogo com nosso público.

Comprometendo-nos a testar as ideias dos usuários e viabilizá-las com o apoio de nossas equipes de engenharia e estilo, recebemos, ao todo, mais de 11 mil propostas. Nada menos que 1,5 milhão de pessoas do Brasil e do exterior visitaram a nossa plataforma colaborativa. O protótipo resultante do projeto foi compartilhado, com grande repercussão, no Salão do Automóvel de São Paulo em 2010. Volantes parecidos com joysticks, vidros inteligentes que acompanham o nível de luminosidade externa, pedais embutidos, pinturas com três cores e soluções de convergência de mídia e infotainment foram algumas das inovações presentes no Fiat Mio.

Para nós, esta foi, sem dúvida, a experiência mais completa de pensar um produto junto com nossos clientes. Para atingir o objetivo proposto de surpreender o mercado com um produto inovador, precisamos concluir que, para um designer, não importa de onde venham as boas ideias – elas podem vir da universidade, de centros de desenvolvimento e tecnologia, dos funcionários, fornecedores e clientes. O Fiat Mio é um projeto de design, mas seu verdadeiro motor é a cocriação.

Paralelamente, há uma notável quebra de paradigma, pois as boas ideias não são mais um segredo que a montadora guarda a sete chaves para se resguardar da concorrência: nesse processo mais radical e visível, todo o mercado teve acesso às sugestões e aos comentários enviados para a empresa por meio dessa plataforma aberta.

Assim, é importante termos claro que a cultura de inovação transformam-se e fortalece diariamente. No início, em meados dos anos 1970, o Fiat 147 inovou ao introduzir na indústria automobilística brasileira o conceito do motor transversal. Hoje, a inovação não se limita mais a aspectos tecnológicos, que possibilitem produzir carros bonitos, econômicos ou velozes, mas exige que nos tornemos capazes de interpretar a completa experiência de dirigir um automóvel.

Esse é o pilar de sustentação do design thinking, conceito reconhecido como a mais nova vantagem competitiva nos negócios e que temos empregado cada vez mais em nossos projetos. Em resumo, trata-se agora de aprofundar a abordagem centrada no fator humano e no contato com o cliente, pensando em diversas questões: Que tipo de experiência desejamos lhe propiciar? Que emoções queremos desencadear?

Se inovar em tecnologia absorve anos de pesquisa e desenvolvimento, com respeito à abstração, a processos, engrenagens, máquinas e planilhas, inovar em conceito demanda empatia, feeling, interação com gente de verdade trata-se de um movimento efetivo na direção dos anseios e das necessidades do público.

O Novo Uno é uma demonstração significativa de que compreendemos esses anseios, construindo um novo conceito a partir da recriação de um ícone da indústria em base totalmente inovadora.

Criando conceitos, e não só tecnologia, os nossos designers vão além e inovam: passam para o papel formas de ver e de interpretar o mundo apontadas pelo mercado. Projetar essa autoimagem em carros-conceito, olhando na mesma direção que nossos clientes, é sem dúvida o desafio atual que fará a diferença no futuro e manterá a Fiat à frente da concorrência.

Capítulo 8

Implementando a inovação

"O medo de um futuro que tememos só pode ser superado com imagens de um futuro que queremos."
Wilhelm Barkhoff, membro fundador do pioneiro Banco Alemão de Empréstimos e Doações à comunidade

novações têm origem em ideias. Como vimos, é imprescindível construir um ambiente favorável à inovação, que estimule a colaboração, a tomada de risco, a aprendizagem constante e a ação de intraempreendedores. Também é fundamental que a organização persiga um propósito inspirador, que motive os funcionários a trabalharem com imaginação e comprometimento.

Como vimos nos capítulos anteriores, os valores da cultura organizacional, o papel das lideranças, a comunicação fluente, as redes de conhecimento, tudo isso afeta a saúde da "máquina da inovação" e seu potencial de gerar ideias.

Entretanto, não basta gerar um monte de ideias aleatórias se você pretende realmente obter resultados significativos em seu negócio a partir da inovação. É muito importante que as ideias sugeridas estejam alinhadas com os objetivos estratégicos do negócio e sejam capazes de estabelecer vantagens competitivas, criando valor e contribuindo decisivamente para o crescimento sustentado da organização na direção pretendida.

Quando a inovação passou a se tornar foco do desenvolvimento corporativo nas últimas duas décadas, os maiores esforços das empresas nesse sentido pareceram se concentrar demasiadamente no estágio da geração de ideias.

As discussões geralmente privilegiavam a etapa de ideation, com valorização entusiasmada do potencial criativo do ser humano, da sua capacidade imaginativa, do pensamento divergente, que trazem à realidade pontos de vista inéditos, perspectivas originais, abordagens diferenciadas. Por conta disso, no mundo corporativo, muita gente entendia que criatividade e inovação eram sinônimos e todos se dedicavam enfaticamente à caça da grande ideia, o insight valendo milhões de dólares.

É claro que essa fase continua fundamental. É o ponto de partida para qualquer inovação. Da mais simples melhoria à sugestão mais radical, todo projeto inicia com uma boa ideia. Seu processo não é linear e a liberdade é pré-requisito. George Buckley, CEO da 3M até 2011, costumava dizer que criatividade não nasce do controle, mas sim da liberdade.

Porém, no mundo dos negócios, a criatividade precisa ser pertinente e gerar valor. Um processo mais disciplinado é absolutamente necessário para "fazer a ideia acontecer" e se transformar em inovação bem-sucedida.

Habilidades de gestão de projetos, metodologias e ferramentas diversas montam um kit imprescindível para a navegação pelos mares da inovação, que podem se mostrar azuis, mas certamente representam uma trajetória desafiadora, pronta a consumir muitos recursos da organização e capaz de alimentar altas expectativas de seus dirigentes.

Este capítulo enfatiza a valiosa etapa de implementação da inovação e compartilha alguns conceitos importantes para que esse processo-chave seja bem-sucedido.

Balanço entre curto e longo prazo

No cenário altamente competitivo e dinâmico de nossos tempos, vivemos comumente mergulhados em grande pressão, dedicados a atingir os objetivos de curto prazo e resolver os inúmeros problemas que diariamente surgem em nosso caminho.

De qualquer modo, não temos como dar as costas ao presente e ao cipoal de tarefas rotineiras. São os resultados do presente que nos permitem sobreviver hoje e viabilizam os investimentos necessários para semear as vitórias que brotarão no futuro.

O maior problema é quando o imediatismo se torna doença e compromete totalmente o planejamento e a execução consistente de iniciativas essenciais para o crescimento de longo prazo.

O líder principal e a alta gerência devem exercer papel decisivo para garantir o balanceamento adequado entre as ações de curto prazo e os projetos com visão de longo prazo. Você certamente conhece gestores famosos que tomaram importantes medidas de rápido efeito, conquistando resultados expressivos e valorizando as ações da empresa no presente, mas que negligenciaram a construção de alicerces estratégicos que sustentariam a competitividade em anos futuros.

Felizmente, com o aumento da importância do pensamento estratégico nas organizações, cada vez mais percebemos empresas investindo no longo prazo com programas consistentes.

Um dos recentes ocupantes da presidência da 3M do Brasil, o norte-americano Michael Vale, junto com seu board local, é um ótimo exemplo de líder que equilibra as ações do hoje e do amanhã. Ao mesmo tempo que demonstra enorme comprometimento com os objetivos negociados entre a subsidiária e a matriz, tomando as medidas necessárias para os resultados de cada trimestre e do ano em curso, o dirigente estabeleceu claras prioridades de investimento de médio e longo prazos que vêm transformando a companhia para o futuro. São políticas e programas de desenvolvimento de pessoas, expansão da capacidade fabril, desenvolvimento local de competências tecnológicas, investimentos em capacitação de marketing, criação de novas estruturas organizacionais e priorização de certos mercados para crescimento acelerado, entre outras iniciativas.

No entanto, não são apenas os principais líderes da organização que precisam refletir sobre o longo prazo. Em cada área da empresa, os times deveriam investir tempo suficiente para a construção de um road map, deixando claro os objetivos imediatos e de futuro que almejam para seus departamentos e as estratégias inovadoras que levarão a equipe a alcançar a visão compartilhada.

Tipos de inovação

Há diferentes formas de classificar os tipos de inovação. O pioneiro Joseph Schumpeter, economista do início do século XX, vislumbrava pelo menos cinco categorias:

• Introdução de um novo produto ou mudança qualitativa ou de funcionalidade em produto existente;
• Introdução de novo método de produção ou processo baseado em descoberta científica ou novidade tecnológica, que seja novidade para a indústria;
• Abertura de um novo mercado;

• Desenvolvimento de novas fontes de suprimento de matéria-prima, bens semimanufaturados ou outros insumos;

• Estabelecimento de uma nova organização para os negócios (mudanças na organização da indústria).

Nas últimas décadas, as definições, no contexto das organizações, costumam referir-se ao seu grau de novidade, considerando sua natureza evolucionária ou revolucionária.

Diversos autores dos anos 1970 e 1980 buscaram distinguir as inovações em duas grandes divisões: incrementais e radicais. Ainda hoje, essa é a classificação mais recorrente entre os profissionais da inovação, gestores de projetos e executivos.

Inovação incremental – Possui grau moderado de novidade, mas ainda proporciona ganhos significativos. Ocorre continuamente em uma indústria e se constitui de ajustes em produtos e processos existentes.

Inovação radical – Provoca transformações nas regras competitivas, no processo produtivo, nos produtos e serviços. É descoberta proporcionada por novos conhecimentos, envolvendo maiores recursos e riscos técnicos, com forte impacto nos resultados.

A consultoria brasileira em gestão da inovação Innoscience, cujos líderes colaboram talentosamente com o website 3minovacao.com.br, compartilha um gráfico muito elucidativo que relaciona o grau de novidade das ideias com seus resultados. Veja a seguir.

Gráfico 8.1 Matriz de inovação e melhoria

Fonte: Scherer e Carlomagno, 2009.

De acordo com o gráfico, invenções, já detalhadas no Capítulo 1, são descobertas sem resultado econômico. Certamente, nenhuma empresa quer investir para gerar invenções que não evoluam para o status de inovação.

Melhorias apresentariam grau de novidade pequeno, geralmente associadas a reduções de custos e refinamento de produtos e serviços com foco na otimização do negócio existente, como projetos convencionais de mudança de embalagem ou sugestões para aumentar a segurança nas fábricas.

Inovações incrementais teriam grau de novidade moderado, mas com impacto expressivo nos resultados e potencial de gerar saltos significativos de competitividade. Exemplos a destacar seriam a implementação dos check-ins eletrônicos pelas companhias aéreas, novas linhas de sabonetes e lâminas de barbear mais sofisticadas.

Por fim, os autores concordam que inovação radical é aquela que induz a enormes mudanças nas regras competitivas, com resultados robustos, destacando nessa categoria o modelo de celulares pré-pagos e o conceito de lean manufacturing da Toyota.

O professor de negócios da Universidade de Harvard Clayton Christensen, um dos maiores pensadores da atualidade sobre inovação, desenvolve uma abordagem um pouco distinta. Para ele, as inovações se classificariam em três tipos: inovações de sustentação, disruptivas e de modelos de negócios.

Inovação de sustentação leva as empresas a desenvolverem inovações incrementais, resultando em produtos melhores, que serão vendidos com mais lucros, aos melhores clientes. Ela suporta e sustenta o negócio existente, sem transformá-lo. Um exemplo dessa categoria seriam os novos sabores de batatas fritas industrializadas (churrasco, cebola e salsa, pimenta), versões diferenciadas de pastas de dente (com efeito branqueador ou com dúzia de benefícios), microprocessadores mais potentes usados em computadores, linhas de veículos continuamente atualizadas, detergentes em pó com aditivos (aloe vera, amaciantes, alvejantes), entre outros. Por mais que esses produtos eventualmente carreguem conhecimento científico sofisticado, alta tecnologia e se originem de ideias muito criativas, são todos inovações que sustentam o negócio da empresa, sem capacidade de provocar mudanças significativas na indústria. Essas inovações não devem ser menosprezadas de forma alguma. Elas possibilitam satisfazer e fidelizar clientes, ganhar participação de mercado, ocupar maiores espaços nas gôndolas e nos inventários dos revendedores, além de contribuir para aumentar a receita e a lucratividade das organizações.

Inovação disruptiva também está ligada a produtos, transforma a indústria, antes geralmente dominada por produtos com alto grau de complexidade e preços elevados. Ela muda o paradigma dos produtos para algo mais simples e acessível. Nasce para atender às necessidades da base do mercado, permitindo que grande parcela de consumidores passe a ter acesso a esses bens e serviços. Segundo Christensen, historicamente as grandes empresas costumam usar uma moldura de desenvolvimento tecnológico mirando numa única direção em que suas inovações se sofisticam continuamente, sendo ofertadas a poucos clientes, a preços cada vez mais altos. A ruptura acontece quando uma organização, muitas vezes um novo entrante, assentada sobre outros paradigmas, toma direção oposta, simplificando a oferta e colocando-a ao alcance de mais consumidores. Os famosos notebooks de US$ 100 imaginados em 2006 por Nicholas Negroponte, um dos fundadores do Media Lab do Instituto de Tecnologia de Massachusetts (MIT), para potencializar a inclusão digital e a educação dos jovens; o automóvel Nano de US$ 2 mil da Tata Motors para as grandes famílias indianas, e os aparelhos celulares como contraponto das linhas de telefonia fixas seriam exemplos da inovação disruptiva.

Inovação de modelo de negócios geralmente complementa a inovação disruptiva. Uma nova combinação de recursos e processos para assegurar uma nova proposição de valor permite que a empresa alcance clientes inexplorados de forma mais eficiente a custos menores. Ela tem potencial para alterar profundamente o jogo competitivo. Esse é o caso já citado dos celulares de "modelo pré-pago" (enorme sucesso no Brasil), do ecossistema iTunes conectado aos iPods da Apple, do sistema de locação de filmes da Netflix, das operações das jovens empresas aéreas de baixo custo e do serviço de cloud computing.

"70% da receita do Grupo (Andrade Gutierrez) hoje é em setores que há 15 anos não existiam para nós. Espero que daqui a 15 anos, possamos dizer algo parecido. Uma empresa deve ter sensibilidade para perceber isso e energia e coragem para mudar."

Sérgio Lins Andrade, presidente do Conselho de Administração do Grupo Andrade Gutierrez

A gestão de projetos de inovação

Na prática das organizações, memorizar os detalhes das explicações sobre cada tipo de inovação não é o aspecto mais importante. No entanto, é relevante saber que os diversos tipos de inovação requerem processos e uma arquitetura organizacional específica. Cada estratégia e, de alguma forma, cada tipo de inovação requer competências, processos e estruturas distintas para sua implementação em cada fase de desenvolvimento do projeto.

O pipeline da inovação

O pipeline ou funil da inovação retrata seu processo de implementação, englobando diversas etapas, desde a recepção e priorização das melhores ideias até o acompanhamento dos resultados do projeto executado na fase posterior à introdução no mercado.

Toda empresa inovadora precisa organizar a captação das ideias para seus negócios.

Como dissemos anteriormente, as ideias de projetos inovadores devem nascer principalmente da visão de futuro das organizações. Para onde queremos ir? Como o nosso mercado vai evoluir? Como desejamos estar daqui a dez anos? Por quais transformações passarão nossos mercados e consumidores? Essas perguntas são pontos de partida para deflagrar o processo de inovação internamente.

Por isso é tão importante pensar nas estratégias de inovação apresentadas no Capítulo 7. As organizações precisam criar seus cenários de futuro, identificando as oportunidades para inovar e indicando as competências que precisam desenvolver paralelamente.

É verdade que esse processo não é totalmente determinístico. Há muitas inovações que surgem no meio do caminho, por força da ação de um intraempreendedor ou durante um desenvolvimento tecnológico. É o caso do forno micro-ondas, concebido por um engenheiro da Raytheon, que percebeu o efeito da radiação quando uma barra de chocolate derreteu em seu bolso durante experimento com um sistema de radar para defesa militar. Para a 3M, grandes inovações como o protetor de tecidos Scotchgard™ e os blocos Post-it® também nasceram espontaneamente. Isso acontece e é muito bom. No entanto, como já frisamos repetidas vezes, em negócios não podemos nos limitar a aguardar a boa sorte, alguma eventualidade ou a ação esporádica de algum empreendedor.

Se as ideias de sua empresa ainda não são geradas em um cenário de visão futura, como na 3M, Natura, IBM, P&G e Pão de Açúcar e outras organizações, então é hora de revisar o processo.

Temos contato frequente com muitas empresas que nos confessam que seus programas internos de geração de ideias parecem soar estagnados, desanimadores, capazes de gerar, na maioria das vezes, apenas pequenas melhorias ou projetos incrementais.

Nossa experiência mostra que esses tipos de programa são positivos. Engajam funcionários, dão vazão ao seu empreendedorismo, estimulam a energia criativa e a participação nos negócios, mas, via de regra, não são realmente os meios para mudanças mais significativas de criação de valor. Se quisermos inovar com modelos de negócio e inovações mais robustas, de maior impacto nos resultados, precisamos estabelecer processos e designar certas estruturas, departamentos e profissionais com uma dose maior de responsabilidade e conhecimento para buscar as ideias alinhadas com a visão de futuro da empresa.

O que se recomenda é explorar as várias estratégias de inovação, com a clara visão de futuro em mente, e identificar o que faz mais sentido para a organização. Investigar as necessidades dos clientes, organizar programas de benchmark, compreender e replicar práticas de outros segmentos, analisar as tendências do macroambiente, acompanhar os avanços tecnológicos, desenvolver cenários futuros, abrir as fronteiras da empresa para a inovação aberta, avaliar concorrentes, promover workshops com consultores externos, investir fortemente em P&D, enfim, uma série de alternativas que fazem parte do cotidiano de empresas focadas em inovação. Se a amplitude dessas atividades o assusta, não se preocupe. Ninguém consegue fazer tudo isso muito bem e ao mesmo tempo. Entretanto, uma empresa inovadora faz escolhas, e sempre se destaca em certas tarefas, desenvolvendo fortalezas para progredir nas várias etapas do pipeline.

Nesse processo, todas as áreas da companhia são absolutamente importantes, mas se o departamento de marketing não apresenta competências mínimas para entender seus clientes e desenvolver planos consistentes, se a área de inteligência de mercado é irrelevante, se as atividades de pesquisa e tecnologia não recebem os investimentos adequados, se o setor estratégico é fraco, então será muito difícil inovar. Geralmente, essas áreas desempenham papel fundamental no processo de implementação da inovação.

Assim, duas sugestões: se a sua empresa julga estar bem posicionada com relação às competências e capabilidades mencionadas anteriormente, pense em como melhorá-las ainda mais rumo à excelência e como integrá-las ao sistema de inovação. Em contrapartida, se sua empresa quer começar a transformação e não dispõe de tais competências de forma significativa, seu plano deve contemplar irremediavelmente o desenvolvimento dessas habilidades e conhecimentos na organização o mais rápido possível. Sem elas, a inovação não acontecerá.

Funil da inovação: seleção de ideias

Por maior que seja a empresa, os recursos são sempre limitados. Assim, mecanismos de priorização são muito úteis para selecionar os projetos de inovação. Afinal, este é um momento importante e delicado. Em evento promovido pelo Google, um dos palestrantes compartilhou uma ótima história do período anterior à eclosão da bolha da internet, relembrando a trajetória da empresa WebVan, que levantou milhões de dólares para estruturar uma loja de varejo on-line nos Estados Unidos, em que o consumidor comprava alimentos pela internet e recebia as entregas em sua residência. Esse caso não repercutiu muito entre os brasileiros, mas certamente recordamos a experiência pioneira do Amelia.com. Ambos não vingaram naquele momento. A lição aprendida é que boas ideias, nas quais todos apostaríamos no primeiro instante, podem fracassar. Em contrapartida, muitas inovações podem ser recebidas com frieza quando inicialmente apresentadas. Poucos imaginariam o potencial de um projeto chamado twitter em seu início. Talvez a ideia do fast-food árabe Habib's também não entusiasmasse muito em seus primeiros passos. Nem o eBay, gigante leiloeiro virtual, nem o Buscapé, buscador brasileiro de produtos e preços iniciado como start-up em 1999 e vendido dez anos depois por US$ 342 milhões, davam sinais tão claros de triunfo em estágio embrionário.

O Google prega o teste de ideias e a rápida validação de seus produtos com os usuários. Eles o chamam de pretotipagem, uma fase anterior ao teste de protótipos. Em seu contexto virtual muito peculiar, lançam produtos ainda inacabados para um grupo de clientes e já acompanham a experimentação, as taxas de utilização iniciais para identificar se aquela inovação vai "pegar" e as oportunidades para ajustes. Nem toda empresa tem essas condições perfeitas de interação rápida, eficiente, a custos baixos, para testar todas as ideias e deixar que o público selecione os melhores projetos. Vale considerar ainda que os próprios produtos do Google são virtuais, o que facilita muito seu processo de seleção de ideias nesse cenário. Mas já vimos práticas similares desses testes iniciais, com simulações modestas, mas muito úteis, até em projetos de desenvolvimento de cockpits pela Embraer. Portanto, a referência é extremamente positiva e todas as empresas, mesmo as que produzem bens físicos, podem também se beneficiar desse modelo de avaliação prévia do conceito.

O crowdsourcing já foi mencionado anteriormente como um mecanismo muito interessante, usado por inúmeras empresas, para envolver diretamente os clientes nessa etapa inicial de seleção e priorização das ideias. De qualquer forma, é recomendável que as companhias utilizem ferramentas para avaliar essas oportunidades, sejam internas ou abertas à participação de outros stakeholders.

Diante das ideias captadas, devemos ter em mente questões sobre o valor potencialmente gerado, as necessidades do consumidor, o tamanho da oportunidade, dados de crescimento do mercado em que se deseja atuar, o impacto na indústria como um todo, entre outros aspectos. Também precisamos ter noções, mesmo que não tão concretas, sobre a viabilidade das ideias, sua demanda tecnológica, a necessidade de recursos e competências para o projeto e a disponibilidade dos canais de distribuição indicados para oferecer a inovação ao mercado. Por fim, é também importante identificar se a ideia está sintonizada com os objetivos da organização, se os riscos são aceitáveis e as possibilidades de retorno, animadoras.

Porém, não se deve exagerar no peso e na severidade dos critérios financeiros em etapas tão incipientes sob pena de dinamitar um bom projeto antes da hora, a não ser que já tenhamos informações suficientemente claras nesse ponto.

Você já imagina que terá dados confiáveis, experiências passadas e alto nível de segurança para avaliar ideias de inovações incrementais como uma extensão de linha conforme os critérios referidos. Para uma inovação de natureza radical, cuja proposta pode conter boa dose de incertezas, a coisa não é tão simples.

Na 3M do Brasil, costumamos usar uma ferramenta de priorização chamada RWW, acrônimo de Real Win Worth, para a finalidade de selecionar e priorizar ideias. Sua estrutura cobre boa parte das questões mencionadas anteriormente, buscando responder se a ideia é Real, Vencedora e com potencial para gerar Valor à companhia.

Ao responder essas perguntas, uma equipe estratégica, multidisciplinar, bem preparada e alinhada com os objetivos da empresa reflete sobre as oportunidades, traça comparações, concede pontuações e pesos e reavalia os resultados finais sob a ótica do bom senso.

Além disso, os profissionais incluem uma análise de probabilidade de sucesso comercial e técnico para balancear as expectativas. No final dessa etapa, a empresa se sente mais segura por ter escolhido as melhores ideias, eleitas para seguirem o fluxo no funil da inovação.

Lembre-se sempre de não tornar os processos de inovação da sua organização ou departamento muito complexos e burocráticos. Também é essencial deixar "válvulas de escape" para não engessar as iniciativas. Deixe algumas janelas abertas para que os intraempreendedores possam dar seus primeiros passos com suas ideias, nutrindo-as com alguma liberdade antes da exposição formal a critérios e comitês. O Post-it® da 3M e o Gmail™ do Google são frutos inovadores de organizações que disciplinam seus processos como condição sine qua non para maximizar resultados, mas que em contrapartida mantêm níveis saudáveis de flexibilidade e liberdade.

As diversas etapas do funil da inovação

O processo de inovação se divide em etapas. Um dos modelos mais influentes se caracteriza por um fluxo de quatro fases, iniciado pela idealização ou ideação (na qual são captadas as ideias), passando pela conceituação (quando as ideias selecionadas são refinadas com validações iniciais junto a clientes), desenvolvimento e comercialização (momento de introdução no mercado).

Figura 8.1 Processo de inovação

Fonte: McKinsey e 3M

Esse fluxo normalmente segue o sistema de stage-gates®, desenvolvido nos anos 1980 pelo professor Robert Cooper com base em estudos de boas práticas de desenvolvimento de numerosas empresas. Esse modelo serve de guia para equipes de projetos inovadores, sugerindo atividades e definindo informações essenciais para cada etapa.

Na 3M, utilizamos o método dos stage-gates®, abrangendo sete etapas, conforme o desenho a seguir.

Figura 8.2 Sete etapas do modelo stage-gates®

Fonte: 3M

Para cada etapa, utilizamos ferramentas adequadas de análise. Adotamos a metodologia do Design for Six Sigma (DFSS), que nos oferece uma variedade de instrumentos para avaliações robustas do projeto em cada momento. Nada de conhecimentos de rocket science ou brain surgery. São métodos de design thinking, levantamento de dados de mercado, pesquisas diversas, observações, guias de entrevistas, validações com clientes, elaboração de protótipos, avaliação histórica de ações, produções em linhas-piloto, métodos de previsão, estudos de custos de fabricação, produtividade e preço, entre tantas outras ferramentas que podem fornecer confiança ao time para seguir em frente com o projeto nos vários momentos da travessia.

Naturalmente, quando um projeto é simples, novamente temos de considerar a flexibilidade, adotando um fast track de análise, abreviando e simplificando etapas.

Figura 8.3 Fast track de análise

Fonte: 3M

Nem a baixa profundidade de análise nem o exagero de questionamentos são ideais para um processo de bom desempenho. O segredo, ao adotar essa disciplina, é encontrar a justa medida, o equilíbrio.

Um aspecto importante é saber que o modelo é um funil, e não um túnel que conduz todas as ideias para a fase de lançamento, pressupondo que alguns projetos serão interrompidos quando confrontados com a realidade das análises.

Na Basf, o funil se constrói em seis etapas. Na primeira, avaliam-se as oportunidades de cada ideia sugerida. Aquelas que passam pela triagem, seguem para a fase de business case. A partir daí, verifica--se a viabilidade comercial do projeto. O sinal verde deste gate leva o projeto para o desenvolvimento nos laboratórios de pesquisa. A etapa seguinte é a montagem de um piloto até o lançamento definitivo do produto.

O professor Sérgio Takahashi, ligado à FEA-USP de Ribeirão Preto e ao Fundace, divide o processo em dois momentos: a fase de Desenvolvimento da Inovação, com suas três etapas – Ideação; Identificação, Avaliação das Necessidades e Oportunidades; Geração e Avaliação de Conceitos; e a Fase de Desenvolvimento de Projetos com mais três etapas – Planejamento (do Produto, de Negócios, dos Processos, Testes e Revisões), Implementação e, finalmente, Lançamento.

O Grupo Pão de Açúcar cultiva um modelo linear, mas circular, em que um insight se transforma em projeto, que avaliado positivamente e com embasamento, segue para um piloto. Se os resultados se mostram positivos, faz-se o roll out.

Você percebe que os processos podem variar um pouco, mudando nomenclaturas, partindo dos mais sintéticos que adotam quatro grandes etapas aos que optam por um grau de detalhamento maior, incluindo sete etapas. No entanto, é fácil reparar que, conceitualmente, a gestão dos projetos inovadores é sempre muito similar.

Novamente, é importante destacar que as habilidades e competências das áreas de marketing, P&D, manufatura, entre outras, são essenciais. De que vale seguir essa disciplina do funil da inovação, impondo ferramentas e reuniões de acompanhamento, se não temos capacidade de dimensionar mercados e oportunidades, de capturar inputs preciosos dos consumidores, de desenvolver mecanismos de validação com agilidade e eficiência, de interpretar os dados e elaborar um business case consistente, de encontrar alternativas de tecnologia e fabricação que permitam viabilizar o projeto? E, mais ainda, se tudo antes estiver bem feito, qual a chance de sucesso, se não temos a competência para introduzir a inovação no mercado com eficácia?

A conclusão óbvia é de que precisamos estabelecer processos disciplinados e, paralelamente, desenvolver as competências necessárias de nossas equipes para que a implementação da inovação seja bem-sucedida.

Portanto, a gestão disciplinada dos projetos busca garantir que o trabalho de inovação percorra uma sequência lógica, embasada em dados, fatos e estimativas, que reduz sensivelmente o risco de insucesso. Quando um projeto percorre todo o funil e é lançado, ainda não se pode ter total segurança de que vingará, mas sua probabilidade de triunfo é muito maior. Ao mesmo tempo, quando o processo aponta gaps sem solução viável naquele momento, paralisamos os esforços e evitamos maior dispêndio de recursos humanos e financeiros em algo que nos traria problemas, como a insatisfação de consumidores, inventários que não giram, investimentos inúteis em comunicação e mobilização de equipes e canais em vão.

"O general que vence uma batalha, faz muitos cálculos no seu templo, antes de ser travado o combate."
Sun Tzu, militar chinês

Estruturas para inovação

Você deve se perguntar quais recursos as empresas dedicam para gerir os projetos de inovação, desde a seleção de ideias até o lançamento da inovação. Na verdade, não existe uma resposta única. Muitas empresas inovadoras não têm departamentos ou cargos específicos relacionados à inovação. Google, 3M, IBM, Apple, Xerox, Siemens e muitas outras entendem que inovação é um objetivo e responsabilidade das diversas áreas da companhia. Essas organizações investem há décadas para que suas estruturas regulares detenham capacidades robustas para operar em cada fase do projeto.

As áreas de marketing, design, engenharia, tecnologia, inteligência e propriedade intelectual dessas empresas estão preparadas e focadas para entender profundamente as necessidades dos clientes, capturar insights de diversas fontes, detectar tendências, acompanhar as tecnologias emergentes, analisar patentes e desenvolver marcas. Na etapa de desenvolvimento, as áreas de sourcing, controladoria, manufatura, gestão de ciclo de vida, engenharia de embalagem e qualidade, entre outras, reforçam as equipes para engajar fornecedores, definir alternativas técnicas, alcançar o melhor custo de fabricação, especificar processos e matérias-primas. Na etapa de comercialização, na qual as exigências de integração entre as áreas são ainda maiores, entram esforços mais intensos dos departamentos de planejamento de demanda, logística, regulamentação, finanças e, especialmente, dos times de vendas e de suporte ao cliente.

Dependendo das características da organização, uma área se destaca na liderança dos projetos, durante as etapas do pipeline. No Google, a inovação é principalmente ligada aos engenheiros; na P&G, a força maior vem de marketing e P&D; na Embraco, o ownership é da área de tecnologia; na Whirlpool, percebo um destaque maior para o departamento de design.

De qualquer forma, torna-se nítido que a implementação da inovação é atividade multifuncional, dependente da excelência do trabalho de diversas áreas. Algumas funções atuam mais fortemente em determinados momentos, outras operam a pleno vapor durante todo o processo. Preferencialmente, a integração dos vários segmentos da orquestra deve ser conduzida pela regência da liderança do negócio.

É importante registrar que muitas empresas que buscaram estrategicamente sua transformação nos últimos anos optaram por investir em estruturas específicas para fomentar e gerenciar a inovação.

A Whirlpool representa uma das histórias de grande visibilidade de mudança para a inovação nos últimos anos. Para alcançar seu objetivo, concebeu uma arquitetura ambiciosa, com gestores responsáveis pela estratégia na alta liderança, diversos conselhos de inovação, consultores em tempo integral e equipes parcialmente dedicadas.

A maioria das organizações com quem tivemos contato sobre o tema nestes últimos anos adota a estrutura de Comitês de Inovação.

A própria Whirlpool do Brasil, segundo a revista Época Negócios, mantém seu Innovation Board que, em 2009, contava com 15 funcionários que se reuniam mensalmente para avaliar ideias. A liderança do comitê era da gerência geral de Design & Inovação, compartilhada com os líderes de desenvolvimento de produto. A mesma reportagem referia-se ao Comitê da Basf no Brasil, órgão que reunia 26 profissionais, incluindo um gerente específico de inovação; à empresa O Boticário, que montou seu comitê multidisciplinar de 15 pessoas; e ao Grupo Telefônica, cujo Comitê agregava 25 membros.

Danone, Solvay, Ambev, Algar, Natura e muitas outras organizações criaram estruturas similares para levar a iniciativa de inovação a um patamar estratégico, geralmente envolvendo a alta liderança nas discussões de objetivos, definição de processos, avaliação de ideias e acompanhamento de projetos. É muito comum a participação dos presidentes das empresas na condução desses comitês. Cada vez mais novos cargos são criados para facilitar o processo. Banco Itaú, Vale, Marcopolo, Promon, Diageo, Elektro e muitas das empresas já citadas definiram cargos e escopos de atuação para seus gestores de inovação. Algumas organizações criaram diretorias de inovação, como a Coca-Cola, ou de Novos Negócios, como a Telefônica, enquanto outras adicionaram gerências que, dependendo do seu foco e de seu patrocinador, reportam para diferentes diretorias. Já observamos estruturas de inovação vinculadas a Diretorias ou Vice-Presidências de P&D, Planejamento, Recursos Humanos, Marketing, Comercial, Qualidade e, até mesmo, Tecnologia da Informação. Cada opção denota um "sotaque" e uma expectativa dos resultados por parte da empresa. Certamente, é difícil julgar o que funciona melhor. Cabe a cada organização encontrar seu melhor caminho dentro de seus objetivos, particularidades e circunstâncias em que navega.

Na 3M, sempre tivemos uma forte liderança da inovação por parte da área de tecnologia. Nosso Chief Technology Officer e sua estrutura global de dez mil cientistas e técnicos são protagonistas na atividade de desenvolvimento das inovações de nossa companhia. As equipes de marketing, vendas e serviço técnico, que compõem a linha de frente no relacionamento com os clientes, são também historicamente fundamentais na liderança da inovação.

Recentemente, na 3M do Brasil, também renovamos conceitos e adotamos funções para facilitar a inovação. Foi criada uma posição gerencial, que reporta diretamente ao presidente, a fim de dar maior suporte às áreas de negócios no planejamento e acompanhamento dos projetos em todas as fases do funil. Também se criou uma função para liderar o laboratório local de pesquisa corporativa e estreitar o relacionamento da empresa com universidades e centros de pesquisa.

Além disso, há mais de uma década, quando absorvemos a metodologia Seis Sigma, criamos um grupo de consultores internos, chamados Black Belts, focados no desenvolvimento de novos produtos e negócios. Alocados a diversas unidades, são líderes que não estão mergulhados na rotina diária, dedicando pleno foco a determinados projetos. Assim, conseguem fazer adequadamente a gestão de projetos inovadores, garantindo cumprimentos de cronogramas, provocando e mediando as reuniões dos grupos multidisciplinares, sugerindo e aplicando ferramentas de análise, dando suporte robusto ao desenvolvimento da inovação.

Portanto, por experiência, percebemos o valor agregado por recursos dedicados à gestão da inovação em conexão com as estruturas regulares da empresa.

Autores como os professores Vijay Govindarajan e Chris Trimble, da Escola de Negócios Tuck nos Estados Unidos, também pregam que em muitos casos é recomendável separar a "Máquina de Desempenho" da "Equipe Dedicada à Inovação". Enquanto uma procura manter a excelência das operações em andamento e, por vezes, também consegue inovar, a outra se dedica completamente aos projetos mais expressivos de inovação.

Há alguns anos, conheci um case interessante do Grupo Telefônica no Brasil que representa muito bem essa separação. A diretoria de novos negócios não é focada em inovações de sustentação. Essas atividades seriam tocadas pelas estruturas regulares de marketing e tecnologia, a tal "Máquina de Desempenho". A nova estrutura dedicada envolve-se em projetos disruptivos, que buscam novos modelos de negócio. Um dos resultados foi o projeto Tec Total, um modelo de serviços de instalação, configuração, integração e suporte técnico para equipamentos digitais, oferecidos em parceria com redes de varejo e provedores. Ao comprar um televisor, *home theater*, computador e outros itens similares, o consumidor pode optar por investir em plano mensal ou comprar um cartão (conceito pré-pago) com determinado saldo que lhe dá direito a todo tipo de suporte, oferecendo uma alternativa profissional para essa necessidade corriqueira. O modelo foi inspirado no Geek Squad do varejista norte-americano Best Buy e se materializou em 2008, quando a Telefônica fez uma joint venture com a Voki, criando a Tec Total.

Adepta de processos consistentes de implementação e fiel ao objetivo de testar rapidamente junto aos consumidores, e com investimento reduzido, a Telefônica costuma interagir com mil pessoas em grupos de amostragem, detectando sua receptividade antes de comercializar em larga escala. É a mesma ideia da pretotipagem do Google ou dos testes-piloto nas lojas do Grupo Pão de Açúcar.

Neste século XXI, a P&G também investiu em criar, nas diversas unidades de negócio, grupos dedicados à inovação. Posteriormente, reforçou a envergadura desses grupos de novos negócios com recursos significativos e liderança separados do core business. Destacam-se pelo menos três grupos: um deles foca na área de beleza e cuidados pessoais; o outro, da área de cuidados com o lar; e o terceiro time, denominado FutureWorks, viabiliza modelos de negócios distintos, como o projeto Tide Dry Cleaners, uma franquia de lavanderias inovadoras, com visual atraente, serviços diferenciados e drive-thru.

O laboratório farmacêutico Cristália, empresa brasileira com sede em Itapira, interior do Estado de São Paulo, tornou-se uma referência nacional obrigatória na disciplina de gestão da inovação. Seus líderes definiram muito bem o papel da inovação em seu negócio, criando um sistema de captação de ideias e gestão de projetos. Estabeleceu-se a área de Pesquisa, Desenvolvimento & Inovação, com investimento e capacitação de talentos. Em 2004, a Cristália criou seu Conselho Científico, composto inclusive por especialistas externos, de distintas áreas de conhecimento, que identificam ideias de projetos. Além da capacitação interna, a empresa desenvolveu enorme competência em construir parcerias, seja com universidades, centros de pesquisa, agências de fomento e entidades governamentais. Em mercado bastante competitivo, a Cristália tem se destacado com inovações nas áreas de anestésicos, disfunção erétil, hormônio de crescimento, entre outras, enquanto já desenvolveu sua visão futura, apostando na biotecnologia como maior direcionador de seu crescimento para os próximos anos.

Outra empresa nacional de visibilidade no cenário da inovação aberta é a Ourofino Agronegócio, um dos maiores players do mercado brasileiro de saúde animal. Fundada em 1987, seu departamento de P&D foi estruturado em 1997 e hoje conta com uma talentosa equipe interna de doutores, mestres e especialistas em diversas áreas de formação. No entanto, seu movimento primordial foi estruturar um processo baseado no modelo aberto, estabelecendo parcerias com dezenas de entidades como USP, Universidade Federal do Paraná, Ufscar, Unesp, Unicamp, Finep, Fapesp, Embrapa, FioCruz, IPT e outros.

Métricas de sucesso

Se investimos tantos recursos e elegemos a inovação como estratégia essencial de crescimento, é absolutamente necessário que a organização estabeleça objetivos e métricas de sucesso. Como atesta o célebre diálogo do gato de Cheshire com Alice no País das Maravilhas, "Se você não se importa para onde quer ir, qualquer caminho serve." Já em termos de negócio, a melhor opção para a estratégia da inovação é definir claramente o que esperamos dela.

A 3M, no mundo todo e especialmente no Brasil, foi a mais destacada referência para consolidar a necessidade da definição de métricas para a inovação, destacando a participação das vendas de novos produtos dentro do faturamento total.

Durante décadas, empresas tomavam conhecimento da principal meta de inovação da 3M: 30% de suas vendas deveriam ser geradas por novos produtos. Esse critério de novidade, até hoje considera cinco anos do item no mercado. Nas prioridades do atual CEO da companhia, esse objetivo foi alavancado para 40% até 2015. Como dissemos no Capítulo 3, os processos de planejamento e a meta desafiadora colocam "pressão" em toda a máquina de inovação para produzir resultados.

A Whirlpool, no Brasil, também persegue essa métrica, ostentando um patamar de 25% das vendas geradas por inovações em 2009. Nesse mesmo ano, a Basf divulgou um resultado de 65% das vendas gerados por novos SKUs, enquanto a Ourofino apresentou 22%. A Natura, por sua vez, divulga um índice de inovação próximo a 60% nos últimos três anos.

Esses dados não são comparáveis entre si, pois cada mercado tem as suas características e dinâmicas. Tampouco os critérios para definição de "produtos novos" são rígidos. Se para diversas áreas de atuação da 3M, nas quais muitos produtos desfrutam de longo ciclo de vida, cinco anos realmente podem ser adequados, para uma empresa de produtos eletroeletrônicos como Samsung e Apple, a medição deve considerar um tempo muito menor. É o mesmo caso de organizações que acompanham o rápido movimento da moda como Alpargatas/Havaianas e Chilli Beans, ou que possuem picos sazonais de vendas que exigem renovações constantes de portfólio como Mattel e Avon.

Com relação às métricas de inovação, costumo fazer um paralelo com os indicadores de desempenho para e-business. Se eu digo que lancei um website que atrai 800 mil visitantes por mês, esse vultoso número absoluto pode impressionar inicialmente. Porém, se investigarmos mais, concluiremos que a taxa de rejeição ou bounce rate (índice de internautas que entram e imediatamente abandonam nosso site) pode chegar a 70%. Também podemos concluir que as pessoas passam, em média, pouco tempo no nosso ambiente virtual e que ainda não clicam nas áreas de conteúdo que desejávamos (onde comprar, peça uma amostra, compre agora, assista ao vídeo de treinamento...). Portanto, não basta definirmos apenas uma métrica principal. É um conjunto de indicadores que mostrará a vitalidade de nossa performance na estratégia de inovação.

Muitas empresas definem métricas relacionadas ao tipo de inovação, avaliando quantas ideias são melhorias, incrementais ou radicais. Ou, conforme o modelo de Christensen, quantas são inovações de sustentação, disruptiva e de modelos de negócio.

Há muitos anos, a 3M estabeleceu sua própria classificação numérica de inovações, compondo sete categorias de projetos, partindo da mais simples (Classe 1) a mais específica (Classe 7).

Esse tipo de análise é muito importante, pois nos permite saber com qual qualidade cumprimos a primeira métrica. Imaginemos que uma organização alcançou 35% de suas vendas por meio de novos produtos. Aparentemente, essa informação é positiva. No entanto, ao avaliarmos os tipos de inovação, podemos concluir que todos os novos projetos da empresa apenas substituem ou canibalizam vendas anteriores, sem agregar novos clientes, mercados e aplicações. Também podem não proporcionar sequer outras vantagens mais efetivas de proteção do negócio contra concorrentes ou para conquistar a lealdade dos consumidores. Pior ainda, pode ser que o novo item permite manter os negócios com o cliente, mas gerando margens menores que o produto anterior.

Não julgamos essas inovações inúteis, sem valor algum. Se elas foram desenvolvidas, provavelmente atendiam às necessidades dos clientes, seja por incorporar um benefício para certo grupo, seja por buscar a redução de custo requerido pelo mercado ou ainda por outro fator.

Elas representam a maior parte dos projetos de inovação das empresas e contribuem definitivamente para o negócio atual, porém não mudam as regras do jogo, não abrem novos mercados, nem possibilitam conquistar uma posição competitiva menos vulnerável à concorrência.

O mesmo professor Vijay Govindarajan concorda que, nas métricas de inovação, precisamos definir um balanço saudável entre os projetos de nosso portfólio, que se distribuem em três tipos de projetos de inovação. Os projetos tipo 1 contribuem para gerenciar o presente e melhorar a performance do negócio atual. São respostas a mudanças lineares da indústria. Provavelmente, de 60% a 75% dos projetos de inovação estarão aí classificados. As inovações do tipo 2 descartam o passado seletivamente e acendem oportunidades em mercados adjacentes, estimulando a descoberta de novos usos e aplicações. Constituem respostas a mudanças e podem levar a mudanças estratégicas. Devem representar algo entre 15% e 30% dos projetos. Por fim, projetos do tipo 3 pensam totalmente no amanhã e na criação do futuro. Incluem testes de conceitos, novos modelos de negócio, rupturas definitivas com o passado. A recomendação é que se tenham entre 5% e 10% dos projetos nessa dimensão.

Há empresas que consideram métricas de processo. Na 3M, geralmente são nomeadas como métricas secundárias. Elas não são exatamente um fim em si. Porém, se atingidas, viabilizam alcançar os resultados para as métricas principais.

Alguns exemplos são os objetivos de números de ideias, captação de ideias geradas fora da empresa para reforçar a inovação aberta (como fazem P&G e SAP), tempo médio do ciclo de inovação e número de novas patentes (em que se destacam empresas como IBM, Samsumg, Microsoft, Canon, Bosch e outras).

Existem ainda métricas relacionadas ao contexto de inovação, que se referem ao número de recursos dedicados (gestores de inovação, equipes exclusivas, consultores internos; à quantidade e ao nível de titulação de cientistas (número de doutores, mestres etc.); porcentagem de lideranças e funcionários avaliados por inovação e patamar de investimentos em inovação com relação ao faturamento.

Não há necessidade de se criar um score card complexo, com todas essas mensurações. Entretanto, a mensagem é que toda empresa, ao implementar projetos, precisa entender perfeitamente a saúde de seu funil da inovação, avaliando o número de projetos em cada etapa do pipeline, seu potencial de receita e lucro, sua natureza incremental ou revolucionária, suas probabilidades de sucesso e seus caminhos críticos, para que se tomem as melhores decisões na alocação dos recursos da organização, a fim de gerar os maiores retornos e o crescimento sustentado.

Investimentos para a inovação

Já se notou que estabelecer um modelo de negócios baseado em inovação requer recursos financeiros adequados. Muitas ideias podem surgir sem custo algum. Insights de um intraempreendedor, cientista, cliente, executivo de vendas, operário, distribuidor podem vir à tona de graça, da imaginação de seus criadores. Porém, transformar a ideia em inovação não é gratuito, mas exige investimentos significativos.

Vimos também que, mesmo para gerar ideias, empresas inovadoras alocam orçamentos em pesquisas de mercado, educação para a inovação, workshops, viagens exploratórias, manutenção de plataformas abertas, tudo isso para captar insights e transformá-los em projetos. Para sua implementação, serão necessários investimentos em desenvolvimento tecnológico, laboratórios de pesquisa, elaboração de protótipos, testes de conceito, experimentos, tarefas relacionadas à defesa da propriedade intelectual, custos com parcerias, e possivelmente com estruturas dedicadas. Por fim, na fase final de comercialização, é importante contar com recursos suficientes para introduzir as novas soluções de forma efetiva no mercado.

Muitas empresas inovadoras definem um orçamento anual específico para P&D como parte da estratégia para a inovação. A Roche, que lidera esse ranking segundo a Booz & Company, investiu US$ 9,1 bilhões em 2009, ou seja, 20,1% de suas vendas. A Merck, que em números absolutos aparece em 14º lugar com seu investimento de US$ 5,6 bilhões, apresenta porcentagem ainda mais alta de 20,5% do faturamento. 3M, Honda, Samsung e Siemens mantiveram investimentos entre 5% e 6% de suas vendas. Apple, a empresa considerada mais inovadora destes tempos, investiu US$ 1,3 bilhão em 2009, algo como 3,1% de suas vendas. A brasileira Embrapa registrou budget de R$ 1,8 bilhão em 2010 e a Embraco algo como 3% de seu faturamento para desenvolvimento tecnológico.

Porém, lembre-se de que nessa disciplina também vale o ditado de que tamanho não é documento. A GM por muitos anos se mantém entre os maiores investimentos em P&D, o que não a impediu de enfrentar uma crise sem precedentes em anos recentes. Ao contrário, os laboratórios Cristália construíram seu modelo de inovação, em mercado dominado por gigantes globais, com investimentos muito menores, mas aplicados de forma inteligente, e com a utilização sábia de linhas de financiamento, fomentos subsidiados e outros serviços e parcerias.

As atuais políticas governamentais brasileiras de estímulo à inovação geraram legislações e programas de financiamento da inovação da iniciativa privada, como as Leis da Inovação, a Lei do Bem, as modalidades disponibilizadas pela Finep como subvenções econômicas e financiamentos reembolsáveis como o programa Prime para empresas nascentes, Juros Zero para micro e pequenas empresas, o Inova Brasil para médias e grandes, além dos suportes das Fundações de Amparo à Pesquisa estaduais, entre outros.

É importante manter-se atualizado sobre as oportunidades de captação de recursos externos e das políticas de isenções para financiar a inovação.

Todavia, investir em inovação não se limita à área de tecnologia. Para as empresas, é muito mais difícil mensurar os investimentos em inovação de uma forma mais ampla, incluindo os esforços aplicados em inteligência de negócios, marketing, tecnologia da informação e treinamentos, mas é absolutamente imprescindível considerar que esforços em todos esses universos serão requeridos para se construir e manter a máquina de inovação a todo vapor. Como concluímos no início do livro, se bem conduzido, todo o investimento em inovação proporciona retornos incomparáveis, gerando valor econômico para as organizações de forma sustentada.

 Vale a pena ler

CHRISTENSEN, Clayton. *The innovator's dilemma:* the revolutionary book that will change the way you do business. New York: Harper Paperbacks, 2003.

SCHERER, Felipe O.; CARLOMAGNO, Maximiliano Selistre. *Gestão da inovação na prática*. São Paulo: Atlas, 2009.

TAKAHASHI, Sérgio; TAKAHASHI, Vânia Passarini. *Estratégia de inovação:* oportunidades e competências. São Paulo: Manole, 2011.

TRIMBLE, Chris; GOVINDARAJAN, Vijay. *O outro lado da inovação:* a execução como fator crítico de sucesso. Rio de Janeiro: Campus, 2010.

Mãos à obra: perguntas para reflexão e ação

A visão de futuro para sua organização está bem definida e claramente compartilhada com todos?

Reflita sobre as iniciativas de inovação de curto e longo prazos que estão sendo desenvolvidas por sua organização. Existe um balanço razoável?

Como você avalia o portfólio de projetos de sua área ou empresa com relação ao tipo de inovação?

Qual processo ou metodologia são adotados para disciplinar a gestão da inovação em sua organização?

Quais critérios são mais adequados para ajudar na seleção das melhores ideias para percorrer o funil da inovação em sua empresa?

Como estão desenvolvidas as competências para os desafios de cada etapa do funil?

Existem estruturas dedicadas à inovação? Como elas interagem com as estruturas regulares?

Quais são as métricas mais oportunas para avaliar a vitalidade da inovação em sua empresa?

Sua organização tem budget suficiente para a inovação? Ela faz uso das modalidades de financiamento disponíveis?

Faça uma análise do pipeline da inovação de sua empresa. Qual sua opinião e como melhorá-lo?

★ Case Natura

Gilson Manfio, gerente científico – Comunicação e Gestão de Conhecimento, Marcela Martinelli, gerente de inovação e Luciana Hashiba, gerente de gestão e redes de inovação da Natura

Somos uma marca brasileira nascida de duas paixões: a cosmética como veículo de autoconhecimento e as relações como princípio da harmonia em um universo no qual tudo é interdependente. Ao longo de mais de quatro décadas, nos tornamos líderes do mercado brasileiro de cosméticos, fragrâncias e higiene pessoal.

Acreditamos que a busca permanente do aperfeiçoamento é o que promove o desenvolvimento dos indivíduos, das organizações e da sociedade. Nesse sentido, entendemos que a inovação está no centro da criação de valor para a Natura e permeia todos os pilares estratégicos da companhia. Ela se expressa por meio de nossos produtos, modelos comerciais, sistema de gestão e na forma como transformamos os desafios socioambientais em oportunidades de aprendizado e suporte para o desenvolvimento sustentável.

Esse conceito de inovação foi incorporado aos nossos direcionadores de cultura e vem sendo reforçado com forte trabalho de disseminação junto a todos os colaboradores Natura nas diferentes áreas da empresa.

Para nós, o sentido da inovação é criar um fluxo de experiências de *bem-estar bem* que ultrapassem as expectativas de nossos públicos: bem-estar é a relação harmoniosa, agradável, do indivíduo consigo mesmo, com seu corpo; estar bem é a relação empática, bem-sucedida, prazerosa, do indivíduo com o outro, com a natureza da qual faz parte, com o todo.

A área de inovação existe na Natura há mais de uma década, quando englobava a gestão integrada das áreas de P&D e Marketing. O tema passou a ser tratado como um tema corporativo transversal, de forma estruturada, a partir de 2010, quando passou a contemplar também novas formas de relacionamento com nossos stakeholders, por exemplo.

Nesse contexto, a inovação Natura se pauta nas definições já amplamente utilizadas na academia e no mercado, pois cria e captura valor para o consumidor, mas tem a ambição de ir além do sucesso comercial, buscando gerar valor para a sociedade como um todo, por meio de resultados econômicos, sociais e ambientais.

Assim, ao inovarmos, buscamos os três aspectos da sustentabilidade, assim como nossa essência, contemplados em nossos projetos, aplicando o conceito cradle-to-cradle em toda a cadeia de valor Natura: desde a concepção de nossos produtos até a sua destinação final.

Dada a relevância do tema na empresa, temos uma vice-presidência de inovação que atua no processo de Inovação de Produtos e Serviços e conta com quatro áreas focadas no desenvolvimento de pesquisa e tecnologia (Ciência, Tecnologia, Ideias e Conceitos), desenvolvimento de produtos e embalagens, avaliação de performance e segurança de produtos (Segurança do Consumidor), além da gestão do portfólio e pipeline, processos, fomento, parcerias com instituições científicas e tecnológicas (ICTs) e empresas, propriedade intelectual, comunicação e gestão do conhecimento (Gestão e Redes de Inovação).

A fim de capacitar os colaboradores de inovação, realizamos continuamente treinamentos teórico-práticos em inovação e em diferentes metodologias para ideação e conceituação, que constituem um repertório diversificado de ferramentas para inovação nas diferentes áreas.

Para gerenciar o processo de inovação de produtos, estabelecemos três fóruns de governança específicos: o Comitê de Produtos, o Comitê de Inovação e o Fórum de Tecnologia, que acompanham a gestão de todo o fluxo do processo de desenvolvimento de projetos de inovação, desde a concepção das ideias até os projetos de tecnologia e novos produtos. O Comitê de Produtos tem atribuições de maior alçada, acompanhando os projetos classificados como inovação radical e a gestão do portfólio global de projetos nos aspectos de conceituação, tecnologia e produtos. O Comitê de Inovação faz a gestão dos projetos de desenvolvimento de produtos. Por último, o Fórum de Tecnologia acompanha o portfólio e processo de gestão dos projetos de pesquisa e tecnologia.

Sob essa nova forma de tratar o tema da inovação, outras áreas da empresa desenvolvem projetos inovadores para a área comercial (canal de vendas e modelo de negócios), tecnologia da informação (inovação em sistemas, processos e novas tendências digitais) e projetos de novos negócios.

Há anos, a gestão do ciclo de vida (ACV) está presente em nosso processo de desenvolvimento de novos produtos. Nela, consideramos aspectos de emissão de gases de efeito estufa, contribuição de matérias-primas de origem vegetal, impacto das embalagens, ecodesign e design voltado para refilagem e reciclagem. No momento, estamos incorporando aspectos de pegada hídrica a esse processo.

Em 2010, implementamos um novo processo de geração de ideias e conceitos de propostas de novos negócios na Natura, denominado "Funil de Ideias e Conceitos" (FIC). O processo do FIC orienta a construção de propostas para aprovação por um board executivo interno de alta liderança, o Comitê de Conceitos, com regras claras para a submissão e aprovação.

Em paralelo, ideias e conceitos para novas tecnologias, produtos e serviços são estruturados pelos colaboradores das diferentes áreas de inovação e se transformam em novos projetos após aprovação nos respectivos fóruns/comitês.

O processo de ideação de novos projetos é livre, sendo que os colaboradores podem propor qualquer tema que identifiquem como oportunidade, desde que esteja alinhado aos valores da Natura e ao negócio atual e que atenda aos quesitos do FIC.

Vale dizer que os processos de inovação são complexos e essencialmente não lineares. Todos seguem uma metodologia estruturada para produção de escopo e gestão do projeto, com a construção do caminho de execução baseado em sua complexidade, segundo orientações de boas práticas de gestão (por ex., PMI), visando sempre minimizar o tempo de execução com uma gestão adequada de riscos. Assim, cada projeto segue sua própria lista de requisitos de acordo com o seu arquétipo de complexidade e uma agenda de execução própria. Por fim, a gestão do portfólio de projetos segue com rituais de aprovação dos gates nos respectivos fóruns/comitês.

Anualmente, em nosso processo de planejamento estratégico buscamos traçar as necessidades atuais e futuras de nosso negócio.

Para contribuir nessa construção, as diferentes áreas de pesquisa e desenvolvimento de produtos monitoram continuamente novas tendências e oportunidades na literatura, patentes e mercado que possam ser convertidas em ideias e propostas a novos projetos, ou mesmo centralizar novos programas de pesquisa no tema. Em paralelo, a área de Consumer Insight, ligada ao Marketing, realiza pesquisas periódicas para mapeamento de tendências globais, novos conceitos e desenvolvimento de produtos em áreas afins à cosmética.

Para monitorar os indicadores da inovação, temos um processo de gestão do portfólio apoiado por um sistema informatizado, que permite acompanhar a qualquer momento o status de todos os projetos de desenvolvimento de produtos, com recuperação de dados sobre valor de portfólio, riscos, tempo de desenvolvimento, alocação de recursos, tipo de projeto (se inovação radical ou incremental) e estágio de execução, dentre outras informações.

Esse sistema permite avaliar o portfólio de maneira dinâmica e auxilia o processo de gestão da inovação como um todo, incluindo parâmetros relevantes para o negócio, como aspectos socioambientais associados aos projetos (p. ex. ACV e emissão de gases de efeito estufa).

Devido à natureza sensível das informações relacionadas ao portfólio global, os detalhes das métricas e dos valores de portfólio são compartilhados com os gerentes do Processo de Inovação de Produtos e acompanhados no Comitê de Produtos pela alta gestão da Natura. Contudo, as métricas e os princípios do processo de gestão de portfólio são compartilhados com as equipes de inovação como um todo, sendo que os Líderes de Projeto são responsáveis pela inserção dos parâmetros dos seus projetos no sistema de gestão de portfólio.

O resultado desses esforços é o reconhecimento da Natura como uma das empresas que mais inova na América Latina, atingindo um índice de inovação[3] de produtos de 2,8% em 2010 e lançando no mesmo ano 168 novos produtos. Alguns lançamentos de 2010 foram as fragrâncias da linha Amó e a linha de maquiagem Una, além do relançamento da linha Natura Chronos.

Entretanto, como se ressaltou no início, mais do que produtos, a inovação Natura atende a nossa disposição permanente de buscar soluções que transformem os desafios socioambientais em oportunidades de negócios sustentáveis, com o objetivo de trazer *bem-estar bem* aos nossos consumidores e prosperidade a todos os atores da nossa cadeia de valor.

---

[3] Receita bruta dos últimos 12 meses proveniente dos produtos lançados nos últimos 24 meses versus a receita bruta total dos últimos 12 meses.

inovaçã
informação
Iniciar
imediato
Iniciar
Important
inação
ideia
ção
im
enta
iciar
inovaçã
Inicia
mplementação
Imp
ginação
eia
nportante
impecável
inovaçã
magin
o
Inicia
ção
inovação
impactan
nicia
ideia
impressã
vação
imp
entaçã
Imagin
início
o
Inicia
inovação
Importan
nspiração
Iniciar
ideia
ação
implementaçã

Capítulo 9

Um resumo final: os 15 princípios da empresa inovadora

"*Valeu a pena? Tudo vale a pena*
Se a alma não é pequena.
Quem quer passar além do Bojador
Tem que passar além da dor.
Deus ao mar o perigo e o abismo deu,
Mas nele é que espelhou o céu."
Fernando Pessoa, poeta, em Mar Português

ossa jornada pelo universo da gestão da inovação se aproxima do final. A proposta deste livro é aumentar a compreensão sobre a gestão da inovação, buscando oferecer uma rota viável e uma visão inspiradora para que organizações, dos mais diversos setores, busquem alavancar seus resultados, caso optem por essa opção estratégica.

Foram mostrados processos e ferramentas necessários para articular um sistema de inovação. Também foram destacados princípios e valores que constroem e mantêm uma verdadeira Cultura de Inovação, que caracteriza o estado da arte nessa disciplina.

De qualquer forma, sempre tive para mim que o ato de inovar requer, antes de mais nada, uma poderosa atitude de querer interferir positivamente no mundo. Antes de conceitos, metodologias, políticas e estruturas, criar e empreender se ligam a uma vontade de fazer a diferença, de não se resignar, de encontrar um sentido e servir a esse propósito com o nosso talento. É lutar contra a indiferença, o pessimismo e a impotência diante das vastas possibilidades que temos para transformar o mundo para melhor. O escritor Elie Wiesel, sobrevivente dos campos de concentração nazista e ganhador do Prêmio Nobel da Paz de 1986, tem um pensamento muito bonito sobre essa postura ativa e empreendedora diante da vida.

"o contrário do amor não é o ódio, mas a indiferença
o contrário da arte, não é a feiúra, mas a indiferença
o contrário da heresia não é a heresia, mas a indiferença
e o contrário de vida não é a morte, mas a indiferença"

Em minha experiência na 3M do Brasil, já presenciei muitas situações em que nossas equipes buscam fazer a diferença com entusiasmo. Querem satisfazer as necessidades dos clientes para assim criar valor econômico para a empresa. Porém não se limitam a isso. Querem também surpreender, encantar, inovar. Desejam alcançar aquele sentimento de autorrealização (lá do topo da pirâmide de Maslow) proporcionado pelo exercício da criatividade, desenvolvendo seus talentos com a mesma paixão que um artista elabora sua obra-prima.

Lembro situações em diversas divisões da companhia quando planejávamos nossos estandes nas feiras para que não fossem convencionais, mas verdadeiros "parques temáticos" que provocassem experiências marcantes para os visitantes. Trago na memória dos meus tempos na área de produtos para automóveis o processo de desenvolvimento dos seminários "Oficina Produtiva 3M", que buscavam oferecer conhecimento e sensibilizar os profissionais da reparação automotiva para transformar e modernizar suas empresas. Recordo-me da criação dos programas de treinamento aos trabalhadores da área de saúde ocupacional em que se mantém acesa permanentemente a ideia de exercer o pioneirismo, ser a primeira empresa a desbravar fronteiras e oferecer os melhores conteúdos aos clientes na missão de protegê-los; e hoje, na área corporativa que lidero, preservamos esse espírito de criar todos os anos projetos diferenciados, marcantes, que, além de resultados expressivos, nunca foram feitos na 3M Global e mesmo por outras empresas.

Um de nossos primeiros projetos nesse sentido foi o Oxigênio, uma seção na intranet da 3M do Brasil em que funcionários eram mensalmente convidados a escrever um artigo nos "moldes da grande imprensa", para compartilhar seus conhecimentos derivados de uma viagem de negócios, de um curso de especialização ou da leitura de um livro, fazendo as informações circularem sob um formato atraente ao mesmo tempo que davam visibilidade e reconhecimento ao autor. Com mais de 30 artigos acumulados em um ano de projeto, os textos foram organizados em um livro, distribuído a todos os funcionários da companhia.

Na sequência, vieram os seminários de inovação e o site 3minovacao.com.br, oferecendo conteúdo de gestão da inovação e referências de boas práticas, contribuindo significativamente para a ampliação do conhecimento sobre o assunto entre as empresas e instituições de ensino do Brasil. Novas atualizações são incorporadas nesses projetos a todo instante. Adaptações aos seminários são realizadas para tratar com maior abrangência o tema de "Inovação & Sustentabilidade", bem como outras customizações. O site de inovação recentemente lançou a plataforma Fábrica de Ideias, para amparar sugestões de internautas para um mundo melhor, e o "Test-Drive 3M" de inovações convida as pessoas a avaliarem novos produtos e colaborarem para seu aperfeiçoamento.

Finalmente, lançamos este projeto incomum do nosso livro de Gestão da inovação com a mesma vontade de agregar valor à sociedade de forma diferenciada e de explorar mares nunca dantes navegados. Trago viva na mente uma poesia do autor português José Régio desde meus tempos de escola que ilustra, de forma veemente, a atitude de romper padrões, buscar novos caminhos, arriscar-se e experimentar. Uma atitude que certamente precisamos cultivar, ainda que seja necessário respeitar todo o conhecimento e experiência estabelecidos para empreender e inovar. A poesia se chama Cântico Negro, com versos pertinentes para nosso contexto da inovação, seja dentro de cada indivíduo, seja na esfera das organizações.

"Vem por aqui" – dizem-me alguns com os olhos doces
Estendendo-me os braços, e seguros
De que seria bom que eu os ouvisse
Quando me dizem: "vem por aqui!"
Eu olho-os com olhos lassos,
(Há, nos olhos meus, ironias e cansaços)
E cruzo os braços,
E nunca vou por ali...
A minha glória é esta:
Criar desumanidades!
Não acompanhar ninguém.
– Que eu vivo com o mesmo sem-vontade
Com que rasguei o ventre à minha mãe

Não, não vou por aí! Só vou por onde
Me levam meus próprios passos...
Se ao que busco saber nenhum de vós responde
Por que me repetis: "vem por aqui!"?
Prefiro escorregar nos becos lamacentos,
Redemoinhar aos ventos,
Como farrapos, arrastar os pés sangrentos,
A ir por aí...
Se vim ao mundo, foi
Só para desflorar florestas virgens,
E desenhar meus próprios pés na areia inexplorada!
O mais que faço não vale nada.
Como, pois, sereis vós
Que me dareis impulsos, ferramentas e coragem
Para eu derrubar os meus obstáculos?...
Corre, nas vossas veias, sangue velho dos avós,
E vós amais o que é fácil!
Eu amo o Longe e a Miragem,
Amo os abismos, as torrentes, os desertos...
Ide! Tendes estradas,
Tendes jardins, tendes canteiros,
Tendes pátria, tendes tetos,
E tendes regras, e tratados, e filósofos, e sábios...
Eu tenho a minha Loucura!
Levanto-a, como um facho, a arder na noite escura,
E sinto espuma, e sangue, e cânticos nos lábios...
Deus e o Diabo é que guiam, mais ninguém!
Todos tiveram pai, todos tiveram mãe;
Mas eu, que nunca principio nem acabo,
Nasci do amor que há entre Deus e o Diabo.
Ah, que ninguém me dê piedosas intenções,
Ninguém me peça definições!
Ninguém me diga: "vem por aqui"!
A minha vida é um vendaval que se soltou,
É uma onda que se alevantou,
É um átomo a mais que se animou...
Não sei por onde vou,
Não sei para onde vou
Sei que não vou por aí!

Por fim, neste último breve capítulo, elaboro uma síntese dos princípios fundamentais que regem as organizações inovadoras e que foram compartilhados no decorrer desta obra. Representam o que chamo de 15 Princípios, com os quais costumamos encerrar as palestras de inovação da 3M, chamando atenção para os pontos mais relevantes do Sistema de Inovação.

• Desenvolva e comunique a visão estratégica

A visão de futuro deve fornecer a moldura temática para as ideias que se tornarão projetos de inovação. Deve ainda orientar os investimentos em processos e estruturas para que a estratégia de inovação esteja alinhada com a estratégia de negócios. Na 3M, essa visão é transparente e conduz as diversas estratégias da companhia, atuando no desenvolvimento das 46 plataformas tecnológicas, no investimento regular ao redor de 5% das vendas em P&D, na política de aquisições em mercados prioritários, na construção de centros regionais de pesquisa, na definição de novas plataformas de negócios (emerging business opportunities), na elaboração de programas de desenvolvimento de competências e assim por diante.

A visão de futuro de uma empresa inovadora deve ser inspiradora e ambiciosa para engajar a empresa em novos desafios para seu crescimento. Foi assim que a 3M envolveu-se na corrida espacial, desenvolvendo o Fluoreltm, borracha sintética utilizada nas solas das botas do astronauta Neil Armstrong em sua caminhada sobre a superfície lunar; no desenvolvimento de tecnologias 3-D com filmes ópticos para equipamentos com telas de LCD (e para as lentes dos óculos 3-D da Dolby); no progresso atual das interfaces digitais com monitores especiais multi-touch; na busca por energia renovável com películas para painéis fotovoltaicos e em dezenas de outros desafios instigantes para a sua máquina de inovação.

• Mantenha a conexão com os clientes

A primeira razão de ser da inovação é atender as necessidades dos clientes, adicionando-lhes valor. Se essa condição não é contemplada, a ideia não se transforma em verdadeira inovação. A 3M somente criou a fita crepe, a fita DurexMR, os adesivos CommandTM, os cabos de transmissão de energia ACCR e os fixadores de cateter IV Fix, entre tantas inovações, porque estávamos sempre próximos de nossos clientes, interagindo com os usuários em seus ambientes de trabalho, observando suas experiências, compreendendo seus desafios e envolvendo-os no desenvolvimento de novas soluções.

• Delegue responsabilidades

A síntese definitiva deste conceito foi dada por William McKnight, ex-CEO, o grande arquiteto da cultura de inovação 3M. "Contrate bons funcionários e deixe-os trabalhar." O princípio da Cultura 3M prega que cada funcionário tenha liberdade para perseguir seus objetivos. A companhia recruta funcionários, compartilha valores, alinha objetivos e desenvolve potenciais. Então, delega responsabilidade e confia nas pessoas, dando-lhes a autonomia na medida do desafio e da experiência. Poucas coisas são tão efetivas para a inovação das pessoas como a prática do empowerment, oferecendo autonomia aos empreendedores e líderes de alto desempenho.

• Prepare lideranças

Os líderes da organização constituem o ingrediente mais importante do sistema de inovação, pois exercem um papel-chave. Sejam líderes formais ou informais, eles operam ativamente nas tarefas de recrutamento e seleção, montagem de equipes e definição de projetos da organização. Líderes concebem visões de futuro, inspiram e mobilizam times para alcançar objetivos. São expostos a ideias e participam da priorização de projetos. Reconhecem bons desempenhos e estimulam pares, superiores e subordinados a pensar além dos limites impostos por paradigmas vigentes, a expandir as fronteiras do cargo. É absolutamente esperado que empresas inovadoras sejam reconhecidas como as melhores empresas no desenvolvimento de executivos. Não é coincidência que GE e 3M estejam no topo do ranking das organizações que melhor preparam seus líderes no Brasil e no mundo.

• Estimule o empreendedorismo corporativo

Empresas inovadoras dependem de um ambiente de confiança e comunicação transparente, com propósitos inspiradores e estruturas flexíveis,em que as pessoas sejam facilmente acessíveis em todos os níveis. Nesses lugares, todo funcionário entende que empreender e sugerir ideias é uma expectativa da organização que estimula a participação ativa. Disponibilidade de canais para proposta de ideias; escritórios integrados; estruturas mais horizontais sem peso excessivo de formalismos; avaliações de desempenho que mensuram a capacidade inovadora de cada funcionário; tempo dedicado para a inovação; mecanismos de reconhecimento que sejam valorizados pela comunidade; metas de inovação e desafios permanentes são alguns fatores importantes percebidos no ambiente de empresas inovadoras como 3M e Google. Na verdade, empresas que desejam ser inovadoras precisam, antes de mais nada, ser ótimos lugares para se trabalhar. A partir daí, fica bem mais fácil trilhar os caminhos para se erguer um sistema de inovação. A 3M mantém-se anualmente como uma das melhores empresas para se trabalhar no Brasil e em muitos países em que se realiza a pesquisa.

• Reconheça os melhores

Se a expectativa é de que nossos colaboradores sintam-se como proprietários do negócio, escapando dos limites da descrição de cargo e da prisão da rotina de trabalho, pensando "fora da caixa" e perseverando na execução diante das barreiras corporativas, é fundamental que sejam recompensados e reconhecidos quando alcançam resultados. Não há uma fórmula única, pois cada empresa tem sua cultura que valorizará mais determinados mecanismos de reconhecimento. Na 3M, programas inovadores com resultados comprovados impactam no desenvolvimento de carreiras e recebem grande visibilidade em premiações que homenageiam seus empreendedores perante toda a organização.

• Assuma riscos e tolere erros

É muito claro que retornos maiores estão associados com riscos mais elevados. Inovações radicais, disruptivas ou de modelos de negócio provocam grandes mudanças da dinâmica competitiva dos mercados, oferecendo benefícios expressivos a seus patrocinadores, ao mesmo tempo que incluem alta probabilidade de fracasso. O erro é inerente ao processo de inovação. Assim, é recomendado estimular as lideranças para agir com um grau de ambição e agressividade em propor desafios para suas equipes, mas também cultivar paralelamente um ambiente de tolerância ao erro de descoberta. Comece pequeno, e, se falhar, erre de forma barata e rápida para começar outro novo projeto na sequência. Lembre-se: tolerar erros de descoberta não tem nada a ver com ser complacente com o baixo desempenho.

• Aposte na diversidade

As equipes de nossas empresas devem contemplar a diversidade, indo além da questão de gênero, raça e idade, para abranger a pluralidade de perspectivas e experiências. A organização da 3M – dividida em 40 unidades de negócio bastante distintas, espalhadas geograficamente pelos continentes em 67 subsidiárias, atuando em mercados que requerem competências técnicas muito diferentes, –proporciona um fantástico caldeirão para combinar perfis, formações acadêmicas, nacionalidades e vivências em quase todos os tipos de indústria, o que contribui para o resultado da inovação. Iniciativas da área de Recursos Humanos aceleram a promoção dessa mescla desejada com job rotations, expatriamentos, trainees, contratações alinhadas às estratégias de inovação, programas de retenção e desenvolvimento de talentos e outros.

• Incentive a colaboração

Criar e desenvolver vigorosas redes de colaboração internas é essencial para a inovação, permitindo que funcionários e áreas compartilhem conhecimento, fazendo com que as informações circulem livremente por toda a organização. Comunidades de prática, fóruns internos, a formação de grupos multidisciplinares, tecnologias que facilitam a interação das pessoas, o registro de conhecimento e lições aprendidas e o acesso prático a bancos de informações são muito úteis para viabilizar a conexão interna. Na 3M, existem muitos grupos conectados como o Tech Forum, criado em 1951 para aproximar os membros da comunidade técnica. Há muitos bancos de dados para armazenar e disponibilizar conhecimento em relação aos projetos de novos produtos, lean six sigma, programas de ecoeficiência, entre outros. Trabalhamos intensamente com equipes diversificadas e comitês para enfrentar desafios e organizamos numerosos eventos para compartilhar diretrizes e boas práticas como o "Communication Meeting", o "Innovation Day", o Marketing Forum e o "Dia da Manufatura".

Entretanto, essa rede de colaboração não pode mais se limitar ao ambiente interno da organização, devendo garantir a conexão com clientes, outras empresas, centros de pesquisa, entidades governamentais, universidades, start-ups, investidores de capital de risco, entre outros. A Inovação Aberta é uma necessidade para a cocriação por meio do compartilhamento de recursos, competências, conhecimentos, investimentos e riscos. Curiosamente, a primeira inovação mais radical da 3M, em 1921, nasceu com características de inovação aberta. Francis Okie, inventor da Filadélfia, enviou uma carta com pedido de fornecimento de mineral abrasivo para uma dezena de fabricantes. Consta que a única empresa a se interessar por essa conexão foi a 3M, que enviou o material solicitado, acompanhou e colaborou com o projeto de desenvolvimento da lixa-d'água. Ao final, a 3M comprou a patente do novo produto e contratou o inventor para atuar como o primeiro cientista da companhia.

• Continue crescendo com foco no futuro

Sucessos do passado são ótimos para sustentar a reputação, fortalecer a marca, gerar um valioso aprendizado, consolidar estruturas eficientes e proporcionar referências inspiradoras para as novas gerações. Sucessos do presente são essenciais para manter o crescimento da organização e gerar caixa para investimentos. Entretanto, é essencial manter o foco do crescimento voltado para os cenários futuros. Um dos grandes negócios da história da 3M foi sua divisão de produtos magnéticos. Fomos pioneiros no desenvolvimento de mídias magnéticas para gravação de áudio e vídeo desde os anos 1940, mas perdendo competitividade, decidimos pelo spin-off da área que se transformou em outra empresa chamada Imation. Em 2007, a 3M também tomou a decisão estratégica de vender sua divisão de produtos farmacêuticos. No instante em que a empresa retira seus recursos de determinados negócios, ela os reinveste em novas oportunidades promissoras para contribuir com o seu crescimento futuro. Assim, promovemos a aquisição de empresas estratégicas como a CUNO em 2005, líder em sistemas de filtração, a Aearo em 2008, na área de equipamentos de proteção individual, a Meguiar's em 2010, líder em sistemas de embelezamento automotivo, entre outros. Também ingressamos ou reforçamos investimentos em áreas de potencial, como a de rastreamento com a tecnologia de RFID, energia renovável, diagnósticos médicos, biometria, transmissão de energia e em várias outras frentes de crescimento.

• Estabeleça processos de gestão adequados

É absolutamente necessário manter processos eficientes de gestão de projetos inovadores, com critérios definidos para priorização de ideias, metodologias de gestão de projeto, ferramentas de análise, mecanismos de validação e rituais de tomada de decisão. A disciplina, atenta a cada etapa de desenvolvimento, contribui para reduzir os riscos inerentes ao processo de inovação, dando à empresa uma segurança maior pelas escolhas feitas e um ritmo lógico ao trabalho multidisciplinar. A 3M utiliza a metodologia dos stage-gates®, com as ferramentas do Design for Six Sigma (DFSS), contando com estruturas dedicadas à inovação, como comitês, gestores e Black Belts e uma visibilidade eficiente do portfólio de projetos quanto a seus resultados, tipos de inovação e estágios de desenvolvimento.

• **Desenvolva ao máximo suas competências centrais**
A ideia é aproveitar suas competências excepcionais para extrair delas o máximo resultado. A Nike, por exemplo, instituiu um primeiro modelo de desenvolvimento de negócios com o basquetebol e, aprendendo com seu sucesso, replicou o formato para crescer em muitas outras modalidades. Para a 3M, o princípio reflete-se em sua capacidade extraordinária em desenvolver conhecimento sobre uma plataforma tecnológica e expandi-la para uma infinidade de aplicações, inclusive combinando tecnologias diversas para gerar novas soluções. É o caso da microrreplicação, primeiramente aplicada pelos cientistas da companhia para produção de lentes fresnell de retroprojetores nos anos 1960, que evoluiu para gerar produtos refletivos, filmes, abrasivos, adesivos, eletrônicos, materiais especiais e para iluminação. Essa capacidade é um dos maiores trunfos da 3M que explicam em parte suas mais de 40 mil patentes e a comercialização de seus 55 mil itens globalmente.

• **Monitore seu progresso**
Ao investir tantos recursos nessa transformação para a inovação, é absolutamente imprescindível que a empresa monitore seu progresso nessa jornada. Existem muitas métricas que são usadas pelas organizações, avaliando diversas dimensões da inovação. São indicadores de resultados (% das vendas e dos lucros), de tipos de inovação (melhorias, incrementais, radicais), de processo (número de ideias, participação de ideias externas, pedidos de patentes, tempo médio dos ciclos de inovação) e de contexto (número de recursos dedicados, quantidade e titulação de cientistas, porcentagem de lideranças

avaliadas e remuneradas por inovação, nível de investimento em inovação). A 3M foi uma das primeiras empresas a mensurar a inovação, utilizando-se de várias métricas que compõem um scorecard estratégico, de enorme visibilidade para os gestores da companhia. O NPVI (indicador de vitalidade de novos produtos que aponta a porcentagem das vendas originadas das inovações) é uma das principais métricas da gestão 3M há muitas décadas.

• **Cultive a ética como um valor inflexível**

Ética é um valor dos mais preciosos. Na 3M, não há uma única reunião da alta liderança em que não se reforce a importância de se agir com ética inflexível. Trata-se de respeitar as pessoas e o meio físico, manter um elevado nível de governança corporativa, garantir a transparência e a comunicação aberta, aplicar critérios justos de avaliação e contratação de funcionários e fornecedores, seguir as regras da competição honesta e legal, combater comportamentos de assédio, incentivar atitudes inclusivas e tudo mais sob esse escopo.

Em nossa esfera de estudo, Peter Drucker foi um dos primeiros a pregar que a inovação também deve ecoar essa preocupação, evidenciando que seu retorno precisa se associar à satisfação de todos os stakeholders, e não somente dos investidores. Assim, as inovações devem ser geradas para atender as necessidades dos clientes, em um contexto em que os trabalhadores de toda a cadeia de produção desfrutem de condições adequadas, o impacto sobre o meio ambiente seja mínimo com uma avaliação detalhada de todo o ciclo de vida do produto, a comercialização das soluções atenda às disposições da legislação vigente (ou até as antecipe) e a competição ocorra sempre de maneira saudável.

• **Faça o que você mais gosta de fazer**

As mudanças geralmente são promovidas por líderes motivados, comprometidos com causas que têm sentido para eles. Esses líderes são movidos por desafios e precisam se sentir em constante evolução. Também necessitam do justo reconhecimento por parte de suas organizações. Quando lidam de forma apaixonada com suas atividades profissionais, desenvolvem continuamente seus talentos e se inspiram a todo instante. Sua criatividade gera frutos abundantes e uma irrefreável energia empreendedora concretiza suas ideias em ações transformadoras. Em contrapartida, se as pessoas tratam seu trabalho como um fardo, se olham continuamente para que o relógio conceda a alforria temporária até o dia seguinte, e contam os minutos para o fim de semana, é praticamente certo que não contribuirão para a inovação de suas organizações, e nem para a sua própria realização.

Uma pequena história para resumir o funcionamento de um sistema da inovação:

A 3M tem milhares de histórias para ilustrar boas práticas de gestão da inovação, desde as primeiras iniciativas no início do século XX, com a invenção de produtos abrasivos, fitas adesivas e sinais de trânsito refletivos, até cases recentes desenvolvidos para a indústria aeroespacial, eletroeletrônica e de energia renovável. Porém, nenhum outro episódio é tão destacado no universo da inovação quanto o da invenção do Post-it®.

Entretanto, essa história intensamente compartilhada, ainda que encante plateias no mundo inteiro, é geralmente contada de forma reducionista, simplificada, dando ênfase apenas ao fato de que inovações podem nascer de fracassos. Em nossas palestras, fazemos questão de aprofundar e ampliar a abordagem, desvendando os vários aspectos do sistema da inovação tão bem representados por essa história. A experiência da invenção do Post-it® reúne de uma só vez a convergência de diversos princípios da inovação na prática de uma organização.No final da década de 1960, um cientista da 3M de nome Spencer Silver trabalhava em determinado projeto de desenvolvimento de um novo adesivo. Esse produto precisava ser extremamente forte para ser usado em aplicações industriais. Logo de início, percebe-se aqui um dos primeiros componentes do Sistema de Inovação. Na 3M, há muitas décadas as divisões de negócio são lideradas para crescer via introdução de novos produtos, com recursos técnicos e financeiros alocados a fim de traduzir as necessidades dos clientes em soluções práticas. Era exatamente o caso vivenciado por Spencer e sua divisão de adesivos.

Infelizmente, depois de certo tempo de pesquisa, ele não atingiu seu objetivo. Em vez de criar um adesivo de alta força, produziu uma cola que não proporcionava adesão permanente. Quem precisaria de um adesivo que não colava? Nesse momento, entrou em cena um importante valor da cultura de inovação: a tolerância ao erro de descoberta. Spencer Silver era um ótimo profissional, comprometido, responsável por grandes realizações. Nesse projeto, não obteve sucesso. Porém, a 3M seguia havia muitos anos a filosofia gerencial sistematizada por seu líder maior, William McKnight. Ele afirmava que "a gerência que é destrutivamente crítica diante dos erros cometidos, mata a iniciativa. E é essencial ter pessoas com iniciativa, se quisermos continuar a crescer".

Outro aspecto fundamental é o estabelecimento de uma rede de colaboração que viabilize a disseminação de conhecimentos e um fluxo de informações por toda a empresa. Mecanismos de gestão do conhecimento contribuem para o registro das lições aprendidas e o compartilhamento das experiências. Muito antes da internet, mas contando com diversas ferramentas de interação, a descoberta de Spencer Silver ficou armazenada e disponível para toda a comunidade científica da companhia.

Eis que se concretizou uma das facetas mais brilhantes do sistema da inovação – o estímulo ao intraempreendedorismo. Em 1974, anos depois da invenção daquele adesivo sem utilidade aparente, Art Fry, outro cientista da 3M, teve um insight enquanto cantava em um coral evangélico. Ele enfrentava dificuldades para organizar as partituras dos hinos religiosos e concebeu uma solução mais eficiente do que marcadores de páginas convencionais. Então, o pesquisador utilizou a "regra dos 15%" para esse seu projeto pessoal. Desde os anos 1940, a 3M formalmente incentiva seus cientistas a dedicar 15% de seu tempo para projetos de sua imaginação que não estejam vinculados com as diretrizes e os prazos estipulados por suas divisões.

Ciente do adesivo criado por Spencer, Fry aprofundou seu conhecimento a respeito do produto, sua formulação e propriedades, contando inclusive com a colaboração do próprio inventor. Esse ambiente de abertura, fácil acesso e ampla cooperação, são características da cultura 3M. Assim, a ideia do Post-it® nasceu da imaginação e ação empreendedora de um funcionário que gerou uma ideia simples durante uma atividade realizada em seu tempo livre da rotina profissional.

Depois da ideia inicial, houve todo um caminho para seu desenvolvimento até a fase de lançamento. Nessa fase, Art Fry mudou a concepção original do produto, de marcador de páginas para bloco de recados autoadesivo. Aperfeiçoou a formulação do adesivo, definiu o tipo de papel e produziu protótipos. Toda empresa inovadora precisa desenvolver competências nas diversas fases do projeto e, na 3M, a expertise na área de tecnologia sempre foi muito sólida.

Em determinado instante, Art Fry enfrentou descrença por parte da área de Marketing da divisão de produtos para escritório. O questionamento, sempre pertinente e essencial na priorização dos projetos de inovação, colocava em dúvida se havia realmente um mercado para essa invenção. Será que existia mesmo uma real necessidade dos clientes por aquela solução? Será que estavam diante de uma oportunidade atraente e factível? Nesse momento, os grandes empreendedores não desistem, mas perseveram. Acreditando fortemente em seu projeto, o cientista criou uma espécie de business case para provar o potencial da ideia. Providenciou uma rápida validação com um público interno. Distribuiu amostras do bloco protótipo entre diversas assistentes da companhia e pediu para que avaliassem o produto após o uso. Com grande satisfação, recebeu depoimentos entusiasmados e solicitações para envio de mais blocos.

Com esse primeiro sinal verde, a equipe 3M se dedicou a um novo teste de validação em maior escala. O produto foi testado em um mercado-piloto (Idaho) com determinada rede de varejo papeleiro, em apenas uma cor (amarela) e dois formatos. É a aplicação de outra regra de ouro da inovação. Testes rápidos e baratos, começando pequeno até ter indícios do sucesso para seguir em frente.

A estratégia de distribuição de amostras (sampling) em operações de blitz para gerar conhecimento do produto e estimular a demanda se mostrou perfeita para os blocos Post-it®, que a partir de então, se tornaram um dos maiores sucessos da companhia, inaugurando novas categorias de produtos que se utilizam da tecnologia do adesivo reposicionável para blocos, marcadores, flip-charts, quadros de avisos, papéis fotográficos e outros itens para comunicação e organização. O faturamento anual das linhas de produto é superior a US$ 0,5 bilhão, dando visibilidade ao seu criador, que se tornou um dos maiores embaixadores da inovação da companhia.

Em resumo, uma única história sintetiza perfeitamente o funcionamento de um sistema de inovação eficiente, combinando estratégia de negócios, tolerância a erros, rede de colaboração, gestão do conhecimento, intraempreendedorismo, processos de P&D, ferramentas de priorização e validação, plano estratégico para novas aplicações e mercados e mecanismos de reconhecimento.

Que este livro possa contribuir no processo de transformação das empresas para o fascinante universo da inovação.

A 3M agradece pela leitura e convida os leitores a compartilharem suas opiniões, sugestões e comentários pelo e-mail lserafim@editorasaraiva.com.br e pelo site 3minovacao.com.br.

Fontes de consulta

ADAIR, John. *The art of creative thinking*. Philadelphia: Kogan Page USA, 2010.
ANDREASSI, Tales. *Gestão da inovação tecnológica*. São Paulo: Thomson Learning, 2006.
ARRUDA, Carlos et al. "Oportunidades e desafios de inovar para a base da pirâmide". Revista DOM (Fundação Dom Cabral), v. 11, p. 23-32, 2010.
BARBIERI, J. C. *Organizações inovadoras:* estudos e casos brasileiros. São Paulo: Editora FGV, 2003.
BRANSOM, Richard. *A ousadia de ser líder:* a história do homem que construiu a Virgin. São Paulo: Agir, 2010.
BROWN, Bruce; ANTHONY, Scott D. *Como a P&G triplicou sua taxa de sucesso na inovação:* um passeio pela "fábrica de novo crescimento" da empresa. Cambridge: Harvard Business Review, jun. 2011.
CHAMPAGNE, Reid. *Gore at 50, Delaware Today*, jun. 2008.
CHARAM, Ram. *O líder criador de líderes*. Rio de Janeiro: Campus, 2008.
CHESBROUGH, Henry William. *Open innovation: the new imperative for creating and profiting from technology*. Cambridge: Harvard Business School, 2006.
CHRISTENSEN, Clayton. *The innovator's dilemma:* the revolutionary book that will change the way you do business. New York: Harper Paperbacks, 2003.
CORTELLA, Mário Sérgio; MUSSAK, Eugênio. *Liderança em foco*. São Paulo: Papirus, 2009.
DOURADO, Dorival et al. "Rede de ideias: como ferramentas de colaboração podem ser usadas para melhorar os processos de inovação nas empresas". Harvard Business Review, abr. 2010.
DRUCKER, Peter. *Innovation and entrepreneurship: practice and principles*. New York, Harper, 2006.
_____. "The discipline of innovation". Harvard Business Review, nov./dez. 1998.
EDMONDSON, Amy. "Estratégias para aprender com o erro". Harvard Bu-

siness Review Brasil. Disponível em: <http://www.hbrbr.com.br/index. php?codid=418>.

FIGUEIREDO, Paulo N. *Gestão da inovação:* conceitos, métricas e experiências de empresas no Brasil. São Paulo: LTC, 2009.

FISK, Peter. Creative genius. New Jersey: John Wiley Trade, 2011.

GERSTNER, Louis. *Quem disse que os elefantes não dançam?* Rio de Janeiro: Campus, 2002.

GIBSON, Rowan; SKARZYNSKI, Peter. *Inovação:* prioridade nº 1: o caminho para transformação nas organizações. São Paulo: Campus, 2008.

GOVINDARAJAN, Vijay; TRIMBLE, Chris. *O outro lado da inovação:* a execução como fator crítico de sucesso. Rio de Janeiro: Campus, 2010.

GUNDLING, Ernest. *The 3M way to innovation:* balancing people and profit. Tokyo: Kodansha, 2000.

HAMMEL, Gary; PRAHALAD, C.K. *Competing for the future.* Cambridge: Harvard Business School, 1996.

_____. *"The core competence of the corporation".* Harvard Business Review, v. 90, n. 3, maio/jun. 1990, p. 79-91.

HIPPEL, Eric Von; THOMKE, Stefan; SONNACK, Mary. *Creating breakthroughs at 3M* (HBR On Point).

HUCK, Virginia. *The 3M story:* brand of the tartan. Minnesota Mining and Manufacturing Co., 1995.

JARUZELSKI, Barry; DEHOFF, Kevin. *How the top innovators keep winning.* Strategy + Business, dez. 2010.

JOHNSON, Mark W. *Seizing the white space, business model innovation for growth and renewal.* Massachusetts: Harvard Business School Press, 2010.

JOHNSON, Steven. *Where good ideas come from:* the natural history of innovation. New York: Penguin, 2010.

KAHNEY, Leander. *A cabeça de Steve Jobs.* São Paulo: Agir, 2008.

KELLEY, Tom. *A arte da inovação.* São Paulo: Futura, 2001.

MAINARDI, Cesare; KLEINER, Art. *"The right to win."* Strategy-Business, 23 nov. 2010.

MANDELLI, Pedro. *Muito além da hierarquia.* 13. ed. São Paulo: Gente, 2010.

MAUBORGNE, Renée; KIM, W. Chan. *A estratégia do oceano azul:* como criar novos mercados e tornar a concorrência irrelevante. 20. ed. Rio de Janeiro: Campus, 2005.

NIDUMOLU, R. PRAHALAD, C. K.; RANGASWAMI, M. R. *"Por que a sustentabilidade é hoje o maior motor da inovação".* Newsletter Harvard Business Review Brasil. Disponível em: <http://www.hbrbr.com.br>.

NÓBREGA, Clemente; LIMA, Adriano R. de. *Innovatrix:* inovação para não gênios. São Paulo: Agir, 2010.

PINCHOT, Gifford. *Intrapreneuring:* why you don't have to leave the corporation to become an entrepreneur? Londres: Harpercollins: 1985.

PINK, Daniel H. *Drive:* the surprising truth about what motivates us. New York: Riverhead Hardcover, 2009.

PORTER, Michael. *"O que é estratégia?"* In: Competição: estratégias competitivas essenciais. Rio de Janeiro: Campus, 1999.

PRAHALAD, C. K.; RAMASWAMY, Venkat. *O futuro da competição.* Rio de Janeiro: Campus, 2004.

RAMASWAMY, Venkat; GOUILLART, Francis. *A empresa cocriativa.* São Paulo: Campus, 2010.

RODRIGUES, Martiuz. *Gestão do conhecimento e inovação nas empresas.* Rio de Janeiro: Qualitymark, 2011.

SANTOS-DUMONT, Alberto. *O que eu vi, o que nós veremos.* São Paulo: Hedra, 2000.

SAWHNEY, M.; WOLCOTT, R.; ARRONIZ, I. *"The 12 different ways for companies to innovate."* Sloan Management Review, v. 47, n. 3, 2006.

SCHERER, Felipe O.; *CARLOMAGNO, Maximiliano Selistre. Gestão da inovação na prática:* como aplicar conceitos e ferramentas para alavancar a inovação. São Paulo: Atlas, 2009.

SCHUMPETER, Joseph. *A teoria do desenvolvimento econômico:* uma investigação sobre lucro, capital, crédito, juro e ciclo econômico.

SENNES, Ricardo Ubiraci; FILHO, Antônio Britto. *Inovações tecnológicas no Brasil:* desempenho, políticas e potencial. São Paulo: Cultura Acadêmica, 2011.

SNYDER, Nancy Tennant; DUARTE, Deborah L. *Strategic Innovation:* embedding innovation as a core competency in your organization. Indianapolis: Jossey-Bass, 2003.

STERNBERG, Robert J. *Handbook of creativity.* Massachusetts: Cambridge Press, 1998.

SUROWIECKI, James. *The wisdom of crowds.* London: Bantam Books, 2004.

TAKAHASHI, Sérgio; TAKAHASHI, Vânia Passarini. *Estratégia de inovação:* oportunidades e competências. São Paulo: Manole, 2011.

TRIMBLE, Chris; GOVINDARAJAN, Vijay. *O outro lado da inovação: a execução como fator crítico de sucesso.* Rio de Janeiro: Campus, 2010.

VRIES, Manfred Kets de. *Leadership:* reflections on leadership and career development. New Jersey: John Wiley Trade, 2010.

"Uma organização movida à inovação: Promon." Revista Classe Mundial. Fun-

dação Nacional da Qualidade.
"As empresas mais inovadoras 2009 e 2010." São Paulo, Época Negócios, 2009 e 2010.
"1000 CEOs", Isto É. São Paulo, encartes dentro da Revista Isto É.

Fontes recomendadas para mais informações sobre inovação no Brasil

Associação Brasileira das Instituições de Pesquisa Tecnológica (Abipti)
Associação Nacional de Pesquisa e Desenvolvimento das Empresas Inovadoras (ANPEI)
Associação Nacional de Entidades Promotoras de Empreendimentos Inovadores (Anprotec)
Centro de Gestão e Estudos Estratégicos (CGEE)
Confederação Nacional das Indústrais (CNI)
Federações Regionais da Indústria
Financiadora de Estudos e Projetos (FINEP)
Instituto Nacional de Empreendedorismo e Inovação (INEI)
Ministério da Ciência e Tecnologia (MCT)
Ministério do Desenvolvimento, Indústria e Comércio Exterior
Movimento Brasil Competitivo (MBC)
Sebrae
Senai
Sociedade Brasileira de Gestão do Conhecimento (SBGC)